# La médecine de demain, le gène apprivoisé

## OLIVIER RÉVÉLANT

# Sommaire

*Les mots suivis d'un astérisque (\*) sont expliqués dans le glossaire.*

# La génétique au service de la santé

En dehors de l'informatique, la physique et la biologie sont probablement les deux disciplines scientifiques ayant connu les progrès les plus
fulgurants au cours de ces deux dernières décennies. Dans quelle pro-
portion ? Au fond, peu importe, c'est souvent là une querelle de clocher.
Ce qui est en revanche indéniable, c'est que ces progrès bénéficient à la santé
humaine. Avec la physique et l'informatique, c'est toute l'imagerie médicale
qui s'est trouvée révolutionnée. IRM, scanner, échographie... sont désormais
des techniques extrêmement performantes au service du praticien. Mieux voir
pour mieux déceler, mieux diagnostiquer et finalement mieux soigner.
Plus encore, demain s'ouvrira l'ère de la télémédecine : faire réaliser
une intervention délicate depuis l'autre bout du monde par un confrère
plus chevronné, plus expérimenté...

Avec la biologie, c'est la découverte du rôle des gènes dans le fonctionnement de la cellule qui a été déterminant. Cet ADN, support de l'hérédité,
détermine l'ensemble des caractéristiques d'un individu et de toute
espèce, mais est également responsables des malformations congénitales,
des milliers de maladies génétiques, et prédispose également à des maladies
mentales ou à des maladies non transmissibles majeures telles que le cancer,
les maladies cardio-vasculaires, l'hypertension ou l'asthme... C'est en tout
cas ce que l'on sait aujourd'hui. Que nous diront les progrès de la science
demain ? Gène du comportement, prédisposition génétique à la violence...
Ce ne sont encore là que de pures spéculations.

Mais, apprivoisé, ce gène, responsable de terribles maladies quand il ne
fonctionne pas correctement, peut s'avérer un précieux allié pour fabriquer
de nouveaux médicaments, déceler, diagnostiquer et finalement traiter
la maladie. C'est ce voyage au cœur de l'infiniment petit que nous vous
proposons de faire ici.

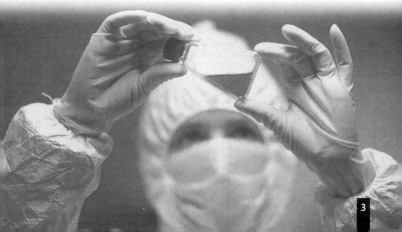

# La cellule, c'est quoi ?

Les milliards d'années d'évolution qui nous précèdent ont donné naissance à une multitude d'organismes végétaux ou animaux, des plus simples aux plus complexes. Mais chacun d'entre eux est composé d'un assemblage d'une même unité de base : la cellule.

## L'apparition de la vie

La vie est apparue sur notre planète il y a quelque trois milliards d'années. Les circonstances de cet événement demeurent assez floues. Mais il semble que certaines conditions physiques (pression, température...) et chimiques (composition de l'atmosphère et pourcentage relatif des différents gaz...) ont été réunies pour qu'apparaissent les premières structures capables de se multiplier. Les hypothèses sont nombreuses, certains ayant même été jusqu'à imaginer que la vie était venue de l'espace, puisque l'on a retrouvé quelques acides aminés*, éléments constitutifs de toutes les protéines, dans des météorites. Les fossiles parlent parfois. Ils parlent de la modification des rivages, des modifications climatiques et de la modification des espèces en fonction du climat et de l'environnement. Ils tendent en tout cas à prouver que l'évolution, de proche en proche, a sélectionné les individus qui étaient les mieux adaptés à leur environnement.

TERRE !

**La vie des cellules**

Chaque type cellulaire a une durée de vie spécifique. Au laboratoire, une cellule se multiplie en 24 heures environ. Dans l'organisme, certaines cellules se divisent rapidement (cellules du système immunitaire lorsqu'il est stimulé, par exemple), d'autres sont dites quiescentes, c'est-à-dire qu'elles ne se divisent pas (c'est le cas des neurones*).

À la découverte de la cellule | ADN et hérédité | L'utilisation des gènes | Transfert de gènes

La cellule* est parfois un organisme vivant à elle seule. On parle alors d'organismes unicellulaires. Dans l'espèce humaine, comme dans le cas de multiples autres espèces animales ou végétales, chaque individu est composé de milliards de cellules, chacune ayant sa fonction précise dans l'organisme.

## Au fond, toutes les cellules se ressemblent...

En effet, quelle que soit leur fonction dans l'organisme, elles possèdent quasiment toutes les mêmes éléments fondamentaux. Ce sont de très petits sacs (de l'ordre du millionième de mètre) protégés du milieu extérieur par une membrane. Cette membrane, appelée membrane plasmique, est pourvue de dispositifs permettant à la cellule d'émettre ou de recevoir des informations. Ce sont souvent des récepteurs ou des pores qui assurent cette fonction. De petites molécules peuvent ainsi sortir ou pénétrer dans la cellule. C'est le cas des hormones, qui imposent à la cellule un certain nombre de tâches spécifiques (division). Les modes de communication entre les cellules sont très sophistiqués. Il faut en fait imaginer l'organisme comme un ensemble de cellules interdépendantes mais ayant la possibilité de communiquer avec « leur » extérieur, c'est-à-dire avec les cellules voisines. À l'intérieur de la cellule se trouve un second compartiment : le noyau. C'est le poste de commande de la cellule. Il renferme le patrimoine génétique, l'ADN*, sur lequel sont disposés les gènes* qui commandent à toutes les fonctions cellulaires. D'une manière similaire, ce noyau est protégé par une membrane.

Enfin, entre ces deux compartiments se trouve le cytoplasme* : une véritable usine cellulaire. C'est là que la cellule effectue ses tâches « ménagères » (production d'énergie, dégradation de produits toxiques, réception de messages...), mais également des actions spécifiques (production de telle ou telle protéine* en fonction de l'organe auquel elle appartient).

> La cellule est l'unité de base de tous les organismes vivants. C'est une usine miniature capable de communiquer avec ses voisines, d'émettre et de recevoir des signaux. Elle accomplit des tâches spécifiques.

# Développement et clonage

Au sein d'un même organisme, chacune des cellules possède le même patrimoine génétique. C'est-à-dire que chacune de ces cellules possède, génétiquement, la même information. Ce sont les informations que chaque cellule transmet à ses voisines au fur et à mesure du développement qui assurent le bon déroulement de ce processus.

### Le développement, comment ?

Que se passe-t-il donc entre la fécondation (rencontre de deux cellules* sexuelles), la formation de l'œuf et la constitution de l'organisme complet, qui naît neuf mois plus tard dans le cas de l'espèce humaine ? L'œuf formé se fixe dans l'utérus. La première division survient pour donner deux cellules, puis quatre, puis huit, seize, et ainsi de suite…. L'organisme qui héberge cet être à naître donne des informations. Il dit, par messages chimiques, quelle est l'orientation de ces premières cellules dans l'espace. Dès lors se définissent un pôle antérieur et un pôle postérieur. Rien de plus logique. Les cellules du pôle antérieur informent donc les cellules du pôle postérieur de leur position dans l'espace. De là le processus s'engage. Des messages chimiques de plus en plus dilués, de plus en plus précis, transitent du pôle antérieur au pôle postérieur, ou inversement, de cellule en cellule. Au fur et à mesure des divisions, les cellules se spécialisent en fonction de ces messages. Au fur et à mesure de cette spécialisation, les fonctions non nécessaires font comme « s'éteindre ». Et les fonctions correspondant à la spécialité de la cellule s'expriment. Mais cela signifie que chaque cellule possède au sein de son noyau toutes les informations génétiques résultant de la fusion des deux cellules sexuelles initiales ayant conduit à la formation de l'œuf.

**Dé-spécialiser les cellules**

La maîtrise de ces processus de spécialisation des cellules pourrait également permettre de les « dé-spécialiser ». Elles seraient alors utiles dans le traitement de nombreuses pathologies.

A la découverte de la cellule | ADN et hérédité | L'utilisation des gènes | Transfert de gènes

## Du clonage

Donc, théoriquement, il est possible à partir d'une cellule dite différenciée, c'est-à-dire qui assure une fonction spécifique dans l'organisme, de « rallumer » les fonctions qui ont été éteintes au cours de la différenciation.

C'est une des techniques utilisées lors de travaux de clonage d'animaux, comme pour la brebis Dolly, par exemple, ou ses semblables nés depuis. Lors de ces travaux, les noyaux d'une cellule « totipotente » sont isolés. Parallèlement, des cellules différenciées sont énucléées (on leur ôte le noyau). Les noyaux extraits des cellules totipotentes sont réintroduits dans les cellules énucléées de manière à recouvrer l'ensemble de leurs possibilités génétiques. On forme ainsi un embryon en quelque sorte artificiel qui doit posséder toutes les capacités génétiques d'un œuf formé naturellement.

Ces techniques sont potentiellement applicables aux traitements de certaines maladies génétiques. Il s'agirait de disposer des cellules du patient, de fabriquer, grâce à la technique décrite précédemment, un embryon génétiquement identique au patient. De cet « embryon » (reste à l'éthique à définir si cela en est réellement un) seraient extraites les fameuses cellules souches qu'aujourd'hui, en dehors de tout contexte « naturel », on sait presque faire se transformer, sous l'influence de facteurs de croissance, en pratiquement n'importe lequel des tissus qui composent l'organisme. Ces cellules serviraient alors de potentiel de traitement pour de nombreux types de maladies, au nombre desquelles des maladies du sang comme l'hémophilie ou des maladies neuro-dégénératives comme la maladie d'Alzheimer.

### Clonage et lois

Les techniques visant au clonage d'espèces complexes ne sont pas encore parfaitement maîtrisées. L'éthique et les lois des pays disposant d'une technologie de pointe interdisent tous travaux de clonage concernant l'espèce humaine.

La maîtrise et la compréhension du programme génétique conduisant de l'œuf à l'organisme ouvrent de nouvelles perspectives dans le domaine des thérapies issues de la connaissance des gènes.

# La cellule malade

La maladie, quelque forme qu'elle prenne, peut avoir différentes origines. Il peut s'agir d'un agent pathogène extérieur (virus, bactérie ou champignon) qui dérègle le fonctionnement normal en utilisant la machinerie cellulaire à son profit pour assurer sa survie. Dans la plupart des autres cas, la maladie a une origine génétique, c'est-à-dire que l'origine de la maladie est inscrite dans les gènes de l'individu.

## Les cancers

La vie de la cellule*, une fois qu'elle est spécialisée, est une sorte d'équilibre entre la mort cellulaire programmée et un processus de division anarchique (processus de cancérisation). Au niveau génétique, cette situation se traduit par un équilibre fonctionnel entre deux grandes familles de gènes* : les gènes inducteurs de tumeurs et les gènes suppresseurs de tumeur. Si ces derniers ne fonctionnent pas correctement (du fait d'un agent extérieur, tabac ou autre), ce sont les gènes inducteurs de tumeurs qui « gouvernent » la cellule. Ils la font sortir de sa voie de spécialisation et l'obligent à se multiplier sans contrôle. La physiologie de la cellule change alors radicalement. Elle n'assure plus sa fonction, émet des signaux vers le reste de l'organisme pour susciter la création de vaisseaux sanguins qui l'alimenteront. Elle présente aussi à sa surface des molécules caractéristiques.

Tous ces éléments sont autant de cibles pour des traitements potentiels par le gène. Mais, quoi qu'il en soit, il apparaît donc de plus en plus clairement que les processus de cancérisation ont une composante génétique.

## La maladie génétique

Chaque cellule contient un patrimoine génétique de 23 paires de chromosomes* (sauf les cellules sexuelles : spermatozoïdes et ovules). 22 de ces paires contiennent des éléments identiques, la 23e paire étant composée des chromosomes sexuels (XX chez les femmes, XY chez les hommes). Chaque chromosome de chaque paire, en dehors de la paire de chromosomes sexuels XY, porte les mêmes gènes. Si l'une des deux versions du gène est défectueuse, dans la majorité des cas, cette situation est compensée par la version non atteinte du gène. Mais les cellules sexuelles ne contiennent qu'un élément de chacune des paires, de manière que, lors de la fécondation, l'intégralité du patrimoine génétique puisse être restauré, avec apport pour moitié de chacun des parents.

Lors de la fécondation, si un chromosome porteur d'un gène défectueux s'associe avec le chromosome provenant de l'autre parent porteur du même gène défectueux, la maladie se déclare sans qu'aucun des parents ne soit atteint, parce qu'alors les mécanismes de compensation ne peuvent exister.

Les techniques de diagnostic anténatal ou prénatal, en dehors des problèmes éthiques qu'elles posent, devraient permettre de prévenir ces situations. Mais il ne faut pas oublier qu'un pourcentage de nouveaux cas de maladies génétiques apparaît spontanément du fait de mutations*.

---

### La reproduction sexuée

Le phénomène de la reproduction sexuée est une stratégie gagnante « adoptée » par l'évolution. Parce que chaque fécondation permet aux caractères de l'un et de l'autre des partenaires de se mélanger (on parle de brassage génétique), aboutissant ainsi à un individu unique susceptible de posséder des caractéristiques nouvelles.

---

La maladie peut avoir plusieurs origines. Infection par un organisme pathogène (virus ou bactérie) ou dérèglement de l'information génétique de l'individu (cas des maladies génétiques). Les progrès des connaissances en biologie permettent aujourd'hui d'imaginer une série de nouveaux médicaments.

# L'ADN au cœur de la cellule

L'ADN, ou acide désoxyribonucléique, est le support de l'hérédité. Il porte les gènes sous la forme d'un code universel et est le composant essentiel des chromosomes. Le rôle physiologique de cette molécule a été mis en évidence vers le milieu du siècle par deux chercheurs américains, James Watson et Francis Crick. Ces travaux leur vaudront d'ailleurs le prix Nobel de médecine en 1962.

**Les cartes**

Savoir que le patrimoine génétique de chaque individu est unique permet de dresser des cartes utilisées par exemple lors de problèmes de paternité ou pour des enquêtes policières.

## L'ADN : description

L'ADN* est un très long filament qui se trouve dans la cellules* sous forme extrêmement condensée pour former les chromosomes*. Dépliée, cette molécule, qui se présente sous la forme d'une double hélice, mesure près de 1 mètre de long, c'est-à-dire qu'elle est environ un million de fois plus longue que la cellule qui la contient.

Sa composition chimique est relativement simple et les molécules élémentaires qui le composent sont identiques pour toutes les espèces, animales ou végétales. L'ADN est ainsi composé de la succession

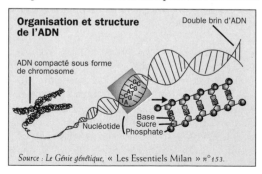

**Organisation et structure de l'ADN**

Double brin d'ADN

ADN compacté sous forme de chromosome

Base
Sucre
Phosphate

Nucléotide

*Source : Le Génie génétique, « Les Essentiels Milan » n°153.*

À la découverte de la cellule | ADN et hérédité | L'utilisation des gènes | Transfert de gènes

organisée de quatre molécules chimiques différentes : adénine ou A, cytosine ou C, thymine ou T, guanine ou G. C'est ce que l'on appelle les bases.

Dans l'espèce humaine, il y a environ 3 milliards de paires de bases par molécule d'ADN. C'est le long de cette chaîne que sont localisés les gènes* qui spécifient l'espèce mais également les caractéristiques propres de chaque individu (couleur des yeux, taille ou maladie éventuelle).

Chez l'homme, il y a plusieurs dizaines de milliers de gènes (probablement entre 30 000 et 80 000, selon les estimations). L'ensemble de ces gènes ne représente qu'un petit pourcentage du génome*. Personne ne sait réellement aujourd'hui à quoi sert le reste de l'ADN, mais il est probable que ce matériel a un rôle important puisque la nature a jugé utile de le maintenir au cours de l'évolution.

| Les erreurs du code |
| --- |
| Si le gène comporte une erreur, la protéine obtenue après traduction sera dans la plupart des cas non fonctionnelle et pourra conduire au développement d'une maladie. |

## La lecture du génome

Avoir compris que l'ADN est porteur de l'hérédité et que les gènes qui expriment cette hérédité sont répartis le long de cette molécule était un grand pas. Restait à comprendre comment l'ADN, localisé dans le noyau de la cellule, « exprimait » l'information qu'il portait pour la transformer en une multitude de protéines* assurant le bon fonctionnement de la cellule. En fait, chaque gène est une phrase, qui est copiée (on parle de transcription) sous la forme d'un messager intermédiaire exporté du noyau. Ce messager est ensuite traduit en protéine dans le cytoplasme* de la cellule. Chaque protéine remplit un rôle spécifique et assure le bon fonctionnement de la cellule.

L'ADN est localisé dans le noyau. C'est le support de l'hérédité. Il porte les gènes, véritables phrases génétiques qui codent les multiples protéines assurant le fonctionnement de la cellule. Chaque individu a un patrimoine génétique unique. Des mécanismes complexes assurent la traduction de cette information génétique en protéines.

# L'ADN déchiffré

Savoir que l'ADN recèle l'ensemble du patrimoine génétique est une chose. Mais trouver la manière dont s'organise ce patrimoine génétique le long des 3 milliards de paires de bases en est une autre. En fait, ces bases sont un code.

## Le code

Il était nécessaire d'établir une relation entre le gène* porté par la molécule d'ADN* et la protéine* codée par ce gène. Les chercheurs savaient par ailleurs que les protéines étaient elles-mêmes composées de l'agencement organisé d'un nombre limité d'unités de base : les acides aminés*, qui sont au nombre d'une vingtaine différents. L'information étant répartie de manière linéaire, une simple opération mathématique montre qu'à un acide aminé doivent être associées trois bases. On parle de triplet.

> **Le code génétique**
>
> Le code génétique est universel. Il permet de transformer chacune des informations cryptées dans l'ADN en une protéine assurant une fonction spécifique dans la cellule.

C'est donc bien d'une véritable opération de décodage de l'ADN qu'il s'agit (à chaque triplet est associé un, et un seul, acide aminé). Ce décodage permet de produire toutes les protéines qui assurent le fonctionnement de la cellule*.

Ce code est quasiment universel. C'est-à-dire qu'aux détails près une cellule appartenant à une espèce X dans laquelle on introduit un morceau d'ADN provenant d'une espèce Y interprétera cette information comme s'il s'agissait de son propre ADN. La même protéine sera donc produite. C'est cette propriété de l'ADN qui permet entre autres de faire fabriquer des médicaments par des bactéries, des levures ou d'autres organismes.

## Les outils de la génétique : la biologie moléculaire

Au début, les chercheurs ne disposaient pas des outils permettant de travailler directement sur le gène. L'ADN n'était pas encore réellement entré dans les laboratoires.

À la fin des années 1970 apparaissent de nouveaux outils moléculaires. Ce sont des enzymes* isolées chez des bactéries. Portant les noms barbares d'enzymes de restriction, de ligase, de polymérase ou de nucléase, elles permettent de manipuler l'ADN un peu à la manière d'une bande magnétique. Il devient possible de le couper (à la base près), de le rogner et de recoller deux morceaux. Un véritable Meccano qui permet toutes sortes de constructions.

Les sciences du vivant venaient de s'enrichir d'un nouveau secteur : la biologie moléculaire. Désormais, le chercheur part de la connaissance du gène pour remonter à la protéine auquel il correspond et étudier son rôle dans la cellule.

C'est la génétique inverse.

La découverte du code génétique et de son universalité ainsi que la mise au point des outils de biologie moléculaire permettent de manipuler l'ADN comme un jeu de Meccano. Ce sont ces techniques, applicables à toutes les espèces vivantes, qui permettent la mise au point de nouvelles variétés végétales ou animales et de systèmes de production de médicaments.

### Les Meccano du gène

L'utilisation des outils de biologie moléculaire permet, compte tenu de l'universalité du code génétique, d'envisager toutes sortes de nouveaux développements. Ce sont ces outils qui sont utilisés pour obtenir des végétaux génétiquement modifiés (insertion d'un gène de résistance à un insecte, par exemple), mais aussi pour la production de médicaments destinés à l'homme dans des bactéries (*voir* pp. 20-21). On parle même de faire produire des médicaments destinés à la consommation humaine dans des végétaux. Ce sont également ces outils qui sont utilisés pour fabriquer les véhicules porteurs des gènes-médicaments nécessaires au développement des thérapies géniques.

# Les erreurs du code

L'ADN étant le support de l'hérédité, il doit pouvoir être multiplié à l'identique lors des divisions cellulaires, puisque chaque cellule dispose, *a priori*, du même patrimoine génétique. Des expériences ont montré que c'est effectivement le cas.
Mais ce processus n'est pas sans générer des erreurs. Ce sont des mutations.

## L'ADN en division

La double hélice qui constitue l'ADN* s'ouvre et de nouvelles bases viennent se disposer spécifiquement (A en face de T, C en face de G, et réciproquement) en vis-à-vis de chacune des hélices. Les deux brins de cette double hélice sont donc complémentaires et la construction du second brin à partir du premier est un processus spécifique. C'est ainsi que les deux cellules* obtenues à la suite d'une division cellulaire possèdent effectivement le même patrimoine génétique. Ce processus, *a priori* simple, n'est pas sans être facteur d'erreurs. La cellule dispose de techniques permettant de corriger les éventuelles erreurs se déroulant lors de la multiplication de l'ADN, mais toutes ne sont pas corrigées. C'est ainsi qu'apparaissent les mutations*, qui peuvent se transmettre lors de la division suivante puisque le brin porteur de la mutation sera lui-même copié.

---

### Les mutations

Il existe de nombreux agents induisant des mutations. Polluants, produits chimiques, tabac, rayons ultraviolets, radioactivité appartiennent tous à cette famille d'agents.
Mais les mutations peuvent aussi survenir spontanément.

### Différents types de mutations

**Mutation ponctuelle**

(1 2 3 4 5 6 7)
Segment d'ADN

**Délétion**

(1 2 3 4 5 6 7) → (1 2 5 6 7) + 3 4
Morceau d'ADN perdu

**Translocation**

(1 2 3 4 5 6 7) → (1 2 5 6 7)
(1 2 3 4 5 6 7) → (1 2 3 4 3 4 5 6 7)

**Inversion**

(1 2 3 4 5 6 7) → (1 2 5 4 3 6 7)

---

## L'interprétation des erreurs

Cette stratégie de tolérance de l'erreur est un des mécanismes fondamentaux de l'évolution. C'est également la source de dysfonctionnements responsables de maladies graves. Il faut bien comprendre que le phénomène des mutations est partie intégrante de l'évolution. Depuis des milliards d'années, les phénomènes complexes qui régissent l'évolution des êtres vivants ont vraisemblablement procédé de la même manière. Aujourd'hui, certaines mutations imperceptibles « font certainement bouger l'espèce ». Cela étant, la nature procède probablement, par stratégie d'essais-erreurs. Mais c'est également cette stratégie gagnante mise au point par l'évolution – qui a permis que les espèces vivantes soient aujourd'hui, de manière optimale, adaptées à leur environnement – qui est aussi responsable de la transmission des maladies génétiques.

## Les différentes erreurs possibles

La phrase génétique codée dans le gène* correspond à une unique protéine*, elle-même composée de parties élémentaires, les acides aminés*. La séquence en acides aminés de la protéine est responsable de sa fonction et de la forme de la protéine dans l'espace. Qu'un seul acide aminé soit modifié et la protéine n'a plus la même forme dans l'espace ; elle ne peut plus fonctionner. C'est la maladie.

Il y a différents types d'erreurs. La protéine peut ne pas être produite du tout. Elle peut également être non fonctionnelle, soit parce qu'une base a été remplacée par une autre et que sa séquence en acides aminés a donc été modifiée, soit parce qu'une base a été éliminée et que toute la lecture a été décalée. Il se peut également qu'un morceau d'ADN ait été éliminé, remplacé par un autre ou ajouté. Dans tous les cas, la protéine obtenue n'est pas conforme et elle est la plupart du temps non fonctionnelle.

Les erreurs de copie ou de lecture du code génétique aboutissent à des mutations. Le décodage de l'information génétique est alors erroné et conduit à l'obtention d'une protéine non conforme et dans la plupart des cas non fonctionnelle. C'est cette situation qui est à l'origine du déclenchement de la maladie génétique.

# La prédisposition génétique

La prédisposition ou susceptibilité génétique est un concept ancien. De tout temps, le langage populaire a rappelé la prédisposition à être atteint de telle ou telle maladie. C'est un peu comme de ressembler à son père ou à sa mère. Il semble bien aujourd'hui que cette notion intuitive ait un réel fondement scientifique.

### Qu'est-ce que la prédisposition ?

Aujourd'hui, la notion de prédisposition ou de susceptibilité génétique s'applique tout particulièrement dans le cas des cancers. De nombreuses formes de cancer ont en effet une origine génétique. Or ces gènes* se transmettent à la descendance, qui hérite donc de la prédisposition à développer la maladie. Mais être prédisposé à telle ou telle maladie ne signifie pas que la maladie se déclare obligatoirement. Ainsi il est faux d'affirmer que la personne porteuse d'une mutation* dans un gène suppresseur de tumeur développera de manière certaine un cancer. Mais, ce qui semble aujourd'hui certain, c'est que la personne porteuse de la mutation a plus de chances de développer la maladie que la personne non porteuse. C'est l'exposition à tel ou tel facteur environnemental qui déterminera si la maladie se développe ou non. Ainsi, par exemple, dans le cas du cancer du côlon, l'alimentation semble jouer un rôle prépondérant.

**Du quotidien, mais aussi de la génétique**

La prédisposition est un fait socialement reconnu. Nous avons tous le nez, le visage, la bouche, le caractère ou la corpulence de notre père ou de notre mère... Il en va de même pour des maladies d'origine génétique. Chacun porte en lui un patrimoine génétique, transmis par son ascendance, qui le prédispose à telle ou telle pathologie.

AH ! LÀ, J'AI ACQUIS UN BON RHUBE !

## Le dépistage moléculaire

Aujourd'hui, les industriels de la génétique s'intéressent de très près au diagnostic moléculaire. Disposer du gène responsable d'une maladie donnée permet en effet de mettre au point des outils de diagnostic pouvant confirmer ou infirmer la prédisposition à cette maladie. Ces applications issues de la connaissance des gènes pèsent déjà plusieurs milliards de dollars sur le marché mondial.

## Innée ou acquise ?

Jusqu'à récemment, les scientifiques délimitaient clairement les maladies innées et les maladies acquises. Une infection virale, par exemple, est une maladie acquise. Parce que l'on ne naît pas avec. En revanche, la mucoviscidose*, l'hémophilie ou la myopathie* sont présentes dès la naissance. Dans le cas des cancers, la situation est plus floue. On naît avec un gène possédant une mutation qui, sous réserve d'être exposé à certains facteurs environnementaux (tabac, par exemple), peut conduire au développement de la maladie. De même, il est probable que la constitution génétique de chacun, et en particulier celle du système immunitaire*, rende plus ou moins sensible à telle ou telle forme de maladie. Il existe par exemple des personnes résistantes à des expositions répétées au VIH (virus* responsable du sida). Cette forme de résistance est probablement, en termes génétiques, beaucoup plus complexe qu'une simple mutation responsable de la susceptibilité à telle ou telle forme de cancer. Mais, fondamentalement, il serait surprenant qu'il ne s'agisse pas, au moins en partie, du même phénomène. C'est la notion de maladie génétique qui se trouve élargie à d'autres formes de pathologies que l'on considérait jusqu'à présent comme acquises.

LES BONNES AFFAIRES, C'EST INNÉ CHEZ TOI.

> Dans de nombreux cas, la maladie résulte de la conjonction d'un facteur génétique (une mutation) et de facteurs environnementaux défavorables.
> On parle dans ces cas de prédisposition génétique.
> Les outils de diagnostic moléculaires permettront dans le futur de dépister ces risques génétiques.

# Le génome humain balisé

Au début des années 1990, personne n'avait envisagé la génétique à grande échelle. Peu étaient capables d'imaginer l'automatisation de la biologie, qui restait du domaine de la paillasse, des tubes à essais et du bec Bunsen. En France, pourtant, quelques chercheurs « éclairés » ont à l'époque eu l'idée d'« adapter » l'informatique et la robotisation à la biologie. Ils ouvraient là une ère nouvelle.

## Plus de 600 maladies...

Aujourd'hui, grâce à ces travaux, les gènes responsables de plus de 600 pathologies sont localisés (c'est-à-dire que l'on sait approximativement dans quelle région du génome ils se situent) ou identifiés (dans ce cas, on connaît précisément leur emplacement).

## La connaissance des gènes

La connaissance du génome* ouvre des horizons sans précédent. Il s'agit tout simplement de mettre au point une nouvelle génération de médicaments dérivés de la connaissance des gènes*. Mais les moyens font cruellement défaut et, excepté aux États-Unis, les gouvernements hésitent à s'engager. Pourtant, les associations de malades sont dans l'urgence et, maintenant que l'on sait que certaines maladies sont génétiques, il faut accélérer la marche vers une solution et trouver les gènes responsables de ces maladies pour mettre au point des traitements. En 1986, un premier gène était découvert, celui de la myopathie* de Duchenne. Premier espoir. Il s'agit désormais, puisque cette technique est applicable à tous les gènes, de traquer la maladie génétique jusqu'au cœur des cellules*. Il faut prendre les maladies de vitesse, mais les outils ne sont pas à la mesure de la tâche

à accomplir. Dans les années 1980, il faut plusieurs années pour isoler un gène. C'est beaucoup trop long. Il faut inventer de nouveaux outils.
Changer d'échelle.

**L'implication de l'AFM**

À elle seule, l'AFM a financé des travaux portant sur plus de 300 maladies génétiques.

## En France, la naissance de Généthon

Le puzzle s'agence rapidement. Sous l'influence prépondérante de trois hommes : Bernard Barataud, président de l'Association française contre les myopathies, Jean Dausset, prix Nobel de médecine, et Daniel Cohen. Ces trois hommes, véritables visionnaires, comprennent que la seule solution est d'automatiser, d'industrialiser la biologie moléculaire. Ce qui semblait aberrant à cette époque, pourtant pas si lointaine.

La plupart des chercheurs, voire même l'État français, considèrent cette aventure comme « plus que hasardeuse ». Pourtant, en 1990, l'AFM décide de se lancer dans l'aventure. Ce sera Généthon I, et 150 millions de francs provenant des dons du Téléthon investis sur trois ans. La mission est en apparence simple : baliser le génome humain de manière à faciliter la tâche des chercheurs.

## Les premiers résultats du Téléthon français

194 millions de francs en 1987, 187 en 1988 puis 268 en 1989. L'AFM, forte des succès du Téléthon, décide au vu des avancées scientifiques, comme l'identification du gène de la myopathie de Duchenne, qu'il ne faut pas rater le tournant de la génétique : trouver les gènes et identifier l'ennemi en menant une politique globale d'exploration du génome.

Bien avant les prédictions les plus optimistes, des chercheurs de Généthon publient en 1992 une carte physique du génome humain. Certes, tout n'était pas parfait. Certes, il restait de nombreux travaux à accomplir, mais cette carte avait le mérite d'exister. Elle était la preuve qu'en s'en donnant les moyens des chercheurs étaient arrivés à ce qui était à l'époque impensable : mettre le génome humain sur disquette !

La connaissance du génome est sur le point d'ouvrir une nouvelle ère de la médecine, en permettant de ne plus soigner seulement les symptômes des maladies, mais de traiter directement leurs causes.

# Les médicaments recombinés

Dès que l'on a su isoler des gènes, c'est-à-dire au début des années 1970, les chercheurs ont pensé à les réintroduire dans des micro-organismes. Ils transformaient alors ces derniers en véritables usines à production de protéines thérapeutiques. Plusieurs molécules obtenues de cette manière sont actuellement commercialisées. Une industrie était née : la biotechnologie.

## L'insuline, premier médicament biotechnique

L'insuline est une hormone humaine produite par un petit nombre de cellules* du pancréas. Elle intervient dans le métabolisme des sucres, et un défaut dans la production de cette molécule conduit à une maladie grave, le diabète.

Avant l'avènement de cette nouvelle technologie, l'insuline avec laquelle étaient traités les patients était souvent extraite de porcs ou de bovins. Même si cette hormone était biologiquement active chez l'homme, les patients développaient parfois des réactions immunitaires graves. Cet inconvénient a été éliminé grâce à la production de la protéine* thérapeutique humaine. L'insuline recombinante est aujourd'hui produite à l'échelle industrielle et permet de traiter l'ensemble des patients souffrant de ce déficit.

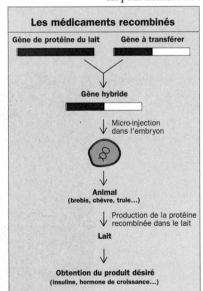

**Les médicaments recombinés**

Gène de protéine du lait     Gène à transférer

**Gène hybride**

↓ Micro-injection dans l'embryon

↓

**Animal**
(brebis, chèvre, truie...)

↓ Production de la protéine recombinée dans le lait

**Lait**

↓

**Obtention du produit désiré**
(insuline, hormone de croissance...)

À la découverte de la cellule | ADN et hérédité | L'utilisation des gènes | Transfert de gènes

## L'hormone de croissance

Il s'agit d'une molécule produite par l'hypophyse et dont l'absence ou le mauvais fonctionnement conduisent à un défaut de croissance. On parle de nanisme hypophysaire. À l'inverse de ce qui se passe pour l'insuline, l'hormone animale n'est pas active chez l'homme, et il a fallu durant de nombreuses années l'extraire de cadavres humains. Cette absence de technique de production efficace et sûre a conduit à l'apparition de cas de maladies de Creutzfeldt-Jakob, l'agent infectieux ayant été extrait en même temps que la protéine thérapeutique...

**Accélérer les recherches**

La technique qui permet d'isoler des gènes n'est pas neuve. Les outils de cartographie et les progrès de la biologie moléculaire ont simplement donné un formidable coup d'accélérateur en divisant par dix le temps nécessaire à l'isolement d'un gène.

**Santé, mais aussi agroalimentaire**

En dehors de la production de médicaments ou de vaccins, cette stratégie de production de protéines intervient également dans d'autres secteurs : production de détergents ou industrie agroalimentaire.

## Production de vaccins

Schématiquement, la vaccination est l'apprentissage par l'organisme de la lutte contre un corps étranger. Lors de cet apprentissage, les cellules qui défendent l'organisme sont mises en contact avec l'agent pathogène inactivé ou avec des fragments de ce dernier (des antigènes), déclenchant la réponse immunitaire. Lors de l'infection « réelle », la mémoire du système immunitaire* intervient, stimulant beaucoup plus rapidement et beaucoup plus efficacement les stratégies de défense qui permettent à l'organisme de se débarrasser de l'agent infectieux.

La production en masse d'antigènes reconnus par le système immunitaire était donc le moyen d'obtenir des systèmes de vaccination relativement peu onéreux et plus sûrs que l'agent pathogène inactivé (une « réactivation » n'étant parfois pas à exclure). L'hépatite B a été la première maladie à bénéficier de ce système. Des expériences, jusqu'à présent peu concluantes, ont également été menées pour développer un vaccin contre le VIH.

La connaissance des gènes et la mise au point de systèmes de production a permis d'obtenir à l'échelle industrielle de nombreux médicaments et facilite la mise au point de vaccins.

# Les vaccins à ADN

**La vaccination est une des grandes avancées sanitaires de ces derniers siècles. Néanmoins, dans l'état actuel des connaissances, elle n'est pas parfaite. Les vaccins génétiques pourraient pallier certains inconvénients.**

**Le système immunitaire**

Avec le système nerveux, le système immunitaire est l'un des plus complexes de notre organisme. Chargé d'assurer la défense de ce dernier contre toute invasion par des agents extérieurs, il dispose d'un répertoire quasi infini lui permettant de reconnaître toute substance étrangère à l'organisme. Ce sont des sous-populations de cellules du système sanguin qui assurent le bon fonctionnement de l'immunité.

## Les vaccins, depuis quand ?

Le premier vaccin fut mis au point à la fin du XVIIIe siècle par Edward Jenner. Il constate à cette époque que les garçons de ferme ont souvent sur les mains des pustules semblables à celles présentes sur les pis des vaches atteintes d'une maladie éruptive, la vaccine. Remarquant que ces mêmes garçons de ferme sont protégés contre les épidémies d'une maladie similaire à la vaccine chez l'homme, la variole, il émet l'hypothèse que le contact avec la maladie touchant les vaches protège les humains contre la variole, et décide de systématiser l'utilisation du pus de ces pustules pour « immuniser » les êtres humains. Jenner invente alors le premier vaccin.

## Qu'est-ce qu'un vaccin ?

Le vaccin est censé duper le système immunitaire* et le faire réagir comme s'il s'agissait d'une réelle invasion de l'organisme par des agents pathogènes. La mémoire de ce système de défense fait que lorsque le pathogène réel se présente, il est combattu d'autant plus efficacement. Il existe deux grands types de vaccins : ce sont soit des fragments de l'agent pathogène, soit des virus* morts. Ces derniers présentent l'inconvénient de ne pas pénétrer naturellement dans les cellules* et bloquent une partie de

**Les maladies auto-immunes**

Dans le cas de certaines maladies, le système immunitaire ne reconnaît plus certains tissus comme appartenant à l'organisme, et les attaque comme s'il s'agissait d'agents extérieurs. On parle de maladies auto-immunes.

À la découverte de la cellule | ADN et hérédité | L'utilisation des gènes | Transfert de gènes

la réponse immunitaire. De plus, ce type de vaccination est souvent temporaire et nécessite des rappels périodiques. D'autres vaccins consistent en des micro-organismes pathogènes atténués, c'est-à-dire que leur pouvoir pathogène est considérablement diminué. Dans cette catégorie se rangent les vaccins contre la rougeole, les oreillons ou la poliomyélite. Même s'ils sont souvent plus efficaces que les pré-cédents, il ne sont pas non plus idéaux et produisent parfois des effets secondaires indésirables. La solution réside peut-être dans les vaccins dérivés du génie génétique.

## Les vaccins génétiques

En effet, les vaccins génétiques ne présenteraient pas, *a priori*, les inconvénients mentionnés plus haut. Il s'agirait simplement de faire s'exprimer dans l'organisme des molécules mimant l'agent pathogène et qui stimuleraient la réponse immunitaire. Sans danger donc, au moins dans une première approche. Les vaccins à ADN* possèdent en plus la faculté d'activer l'ensemble du système immunitaire. Les vaccins génétiques sont également nés des progrès dans la connaissance des gènes*.

Pour produire de tels vaccins, il faut bien entendu comprendre comment les agents infectieux parasitent l'homme. Or, dans de nombreux cas, ces mécanismes ne sont pas encore complètement connus, et les cher-cheurs ne disposent d'aucun modèle permettant de tester ces nouvelles formes de vaccins.

> Les vaccins mis au point par les techniques du génie génétique seront sans aucun doute plus sûrs, plus efficaces et certainement moins chers que ceux développés aujourd'hui, présentant ainsi un meilleur rapport coût/bénéfice.

---

**Et demain ?**

Au nombre des maladies qui pourraient bénéficier de ces progrès techniques, on notera le sida et le paludisme, deux fléaux sanitaires mondiaux, et certaines formes de cancer.

---

# La pharmacogénomique

La connaissance des gènes, les progrès dans le domaine des techniques d'étude de la génétique humaine ont ouvert d'autres horizons aux industriels. Puisque le gène est à portée, pourquoi ne pas utiliser cette technologie pour étudier les résistances de patients potentiels à certains médicaments, la toxicité de nouveaux produits ou encore la prédisposition à certaines maladies... La tentation est grande.

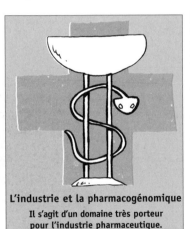

**L'industrie et la pharmacogénomique**

Il s'agit d'un domaine très porteur pour l'industrie pharmaceutique. Tous les jours ou presque se nouent de nouvelles alliances entre industriels, qui sont porteuses de marchés juteux.

## Pharmacogénomique : définition

La pharmacogénomique a pour but l'étude de la variation de la réponse des patients à un médicament donné en fonction de leur patrimoine génétique (les gènes* impliqués dans ces systèmes étant pour la plupart ceux qui sont responsables du métabolisme des médicaments, c'est-à-dire ceux dont le produit libère ou détruit la substance active dans l'organisme). Ainsi, de la même façon qu'un individu diffère d'un autre par sa taille, son poids ou peut-être même certains traits de son comportement, il diffère également par la réponse génétique qu'il apporte à telle ou telle substance médicamenteuse. Ce sont là les conclusions évidentes des études actuellement menées sur le patrimoine génétique humain. Tous autant que nous sommes allons réagir différemment face à une infection donnée ou à un traitement médicamenteux, aussi bien en termes d'efficacité que d'effets secondaires. Et cela est inscrit au cœur même de la cellule*, dans nos gènes. La tentation est donc grande pour les pharmaciens industriels de décliner des traitements pour chacun des profils génétiques. Avec une plus grande efficacité pour le patient, mais également un plus fort rendement pour le fabricant... Viennent se greffer sur cette notion d'efficacité médicamenteuse les tests génétiques.

## Les tests, une nécessité ?

La nécessité médicale de ces tests « génétiques » est aujourd'hui reconnue comme résultant d'une combinaison de plusieurs facteurs : le nombre de patients qu'il est nécessaire de tester, la réponse obtenue et la possibilité d'utiliser d'autres médicaments pour obtenir une réponse similaire... Rien n'est simple. De même, certains médicaments ont pu être retirés du marché du fait d'une efficacité avérée sur un nombre très limité de patients correspondant à un profil génétique donné, ce que l'on ignorait alors. Optimiser un traitement médicamenteux en fonction du patient nécessitera également de connaître avec précision la génétique de la maladie à laquelle on s'attaque.

## Les récepteurs

La génomique permet d'identifier les récepteurs des médicaments (seuls 400 d'entre eux avaient été jusqu'à présent identifiés par la pharmacie classique). Avec l'aide de la génomique, les chercheurs espèrent découvrir 2 000 à 3 000 de ces récepteurs en quelques années. Autant de cibles potentielles pour des médicaments nouveaux à découvrir. Ainsi, dans certaines formes de maladies (par exemple la maladie d'Alzheimer) où l'on observe plusieurs mutations*, il serait possible d'adapter le traitement à chacune des formes observées : plus d'efficacité et moins d'effets secondaires. En quelque sorte, c'est à la naissance d'une pharmacie personnalisée, fonction du profil génomique des patients, qu'on est en train d'assister.

> La pharmacogénomique est une discipline naissante issue de la connaissance des gènes. Elle permettra de prédire et d'adapter un traitement le plus efficace possible et générant le moins d'effets secondaires selon le profil génétique du patient.

# Médecine prédictive et diagnostic

Les avancées technologiques, la connaissance des gènes, la possibilité d'identifier un gène responsable d'une maladie déclarée ou à venir ouvrent la voie à des champs d'application jusqu'à présent peu explorés : les diagnostics présymptomatiques et génétiques.

## Les maladies monogéniques

Dans le cas de maladies monogéniques, un seul gène* est impliqué dans le déclenchement systématique ou éventuel (sous réserve de certains facteurs environnementaux) de la maladie.

L'utilisation d'une sonde moléculaire spécifique du gène permet dans de nombreuses situations le diagnostic de l'anomalie génétique susceptible de conduire à la maladie. La technique utilisée est celle dite de l'hybridation. Un brin d'ADN* connu, sain ou muté, est « hybridé » avec l'ADN devant faire l'objet du diagnostic. S'il s'y accroche très fermement (la force de l'hybridation est mesurée par les conditions expérimentales), cela signifie que les deux brins d'ADN sont complémentaires et qu'ils sont donc tous les deux sains, ou tous les deux mutés.

## Diagnostic présymptomatique

Un diagnostic présymptomatique est réalisé avant l'apparition de signes cliniques associés au déclenchement de la maladie. Ils peuvent être réalisés avant ou juste après la naissance (on parle alors de diagnostic anté

**En France**

Les derniers arrêtés ayant été publiés en 1999, deux centres sont à ce jour habilités à pratiquer le diagnostic préimplantatoire. L'un rassemble des généticiens de l'hôpital Necker-Enfants-Malades (Paris) et des biologistes de la reproduction de l'hôpital Antoine-Béclère de Clamart, l'autre se situe au centre hospitalier de Strasbourg.

À la découverte de la cellule | ADN et hérédité | **L'utilisation des gènes** | Transfert de gènes

ou néonatal), ou au cours de la vie. Le meilleur modèle de diagnostic néonatal, c'est-à-dire juste après la naissance, est celui d'une maladie métabolique : la phénylcétonurie. Un programme national permet de détecter tous les enfants atteints (environ 1 sur 15 000). Dès lors, un régime alimentaire strict poursuivi pendant plusieurs années a permis d'éviter plusieurs dizaines de retards mentaux.

Par ailleurs, certaines maladies peuvent être diagnostiquées bien plus tard, au cours de la vie de l'individu, et avant qu'elles ne se déclarent. Au nombre de ces maladies, on compte par exemple la maladie de Huntington, une affection dégénérative du système nerveux central se développant autour de 40 ans, et certaines formes de cancers à composante génétique.

## Diagnostic génétique

Le diagnostic génétique consiste à évaluer le risque pour un individu de transmettre une pathologie à caractère génétique à sa descendance. Ces diagnostics sont réalisés dans le cadre d'études familiales ou de campagnes de prévention ou d'information.

Ce sont là encore, le gène et les mutations* une fois déterminés, les outils dérivés de la connaissance des gènes qui sont utilisés.

Par exemple, la forte fréquence de bêta-thalassémie (une maladie du sang qui provoque une anémie) sur le pourtour du bassin méditerranéen a conduit à mettre en place un dépistage des sujets porteurs sains (c'est-à-dire qu'un seul des deux gènes portés par la paire de chromosomes* est atteint). Cela afin d'informer les couples sur les risques éventuels de développement de la maladie.

Les techniques issues de la connaissance des gènes permettent aujourd'hui de réaliser des diagnostics moléculaires pré-symptomatiques ou génétiques. Mettre en place des mesures de prévention, informer sur les risques éventuels de transmission d'une pathologie génétique ou confirmer un diagnostic sont désormais envisageables.

# Soigner grâce aux gènes

Dans le principe, la thérapie génique est une idée extrêmement simple. Connaissant le gène responsable de la maladie, il suffirait de trouver un véhicule permettant d'emmener le gène, devenu médicament, au cœur de la cellule, où il corrigerait les dysfonctionnements induits par le gène défectueux. Simple dans le principe, beaucoup plus complexe dans la réalité.

## Les applications potentielles

Procédé thérapeutique, la thérapie génique* désigne donc un ensemble de techniques consistant à introduire dans une cellule* cible un gène-médicament pour corriger ou pallier un dysfonctionnement génétique.

Les thérapies par les gènes*, ou thérapies géniques, s'appliquent donc théoriquement à de nombreux cancers, aux maladies cardio-vasculaires, aux maladies neurodégénératives ou encore à certaines maladies virales. Leur champ d'application est gigantesque. Après la vaccination et les antibiotiques, c'est bel et bien une troisième révolution médicale qui se profile.

## Le principe

Introduire un gène-médicament à l'intérieur de la cellule cible permet de mettre en œuvre de nombreuses stratégies thérapeutiques.

Dans le cas de maladies monogéniques (c'est-à-dire n'impliquant qu'un seul gène), cette approche peut permettre de corriger les effets de la maladie en introduisant dans les cellules malades un gène qui pallie leur dysfonctionnement. En ce qui concerne les cancers, il peut s'agir de provoquer la mort d'une cellule cancéreuse en y introduisant un « gène suicide » ou de stimuler la réponse immunitaire afin que l'organisme soit mieux à même de lutter contre

**Une approche complexe**

On sait aujourd'hui, contrairement à ce qui pouvait être affirmé il y a dix ou quinze ans, que chaque maladie nécessitera probablement des travaux particuliers. Aucun système de transport de gènes ne sera universel. C'est une approche prometteuse, mais de nombreux problèmes demeurent.

À la découverte de la cellule | ADN et hérédité | L'utilisation des gènes | Transfert de gènes

la maladie. Enfin, cette stratégie peut permettre d'empêcher ou de limiter la mort cellulaire caractéristique de certaines maladies neurodégénératives.

## Les obstacles

Pour déposer le gène thérapeutique au bon endroit, il faut un véhicule capable de traverser les membranes. Ce transporteur est appelé vecteur\*. En général, ce sont des virus\* auxquels on a ôté tout pouvoir pathogène qui sont utilisés. En effet, ces micro-organismes ont développé depuis des millions

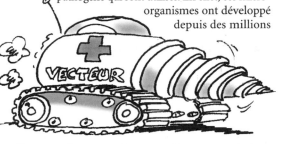

d'années des stratégies naturelles pour pénétrer efficacement dans les cellules qu'ils infectent. Plus rarement, mais essentiellement pour des raisons techniques, le vecteur est un composé artificiel.

La première difficulté est donc de mettre au point des vecteurs adaptés aux gènes à transporter et aux cellules à atteindre. C'est actuellement l'un des axes de recherche les plus développés. L'ensemble vecteur/gène-médicament peut être reconnu comme étranger par l'organisme et susciter une réaction immunitaire. Le deuxième défi consiste à résoudre les problèmes posés par cette défense naturelle du corps humain.

Le vecteur doit également atteindre une catégorie de cellules bien définie (les cellules musculaires, nerveuses, cancéreuses..., selon les pathologies), et le gène-médicament doit être actif pendant la durée désirée. Les connaissances actuelles en biologie ne garantissent pas encore un transfert optimal.

**Des virus transporteurs de gènes**

Les vecteurs développés aujourd'hui sont essentiellement dérivés de virus, car ces micro-organismes ont développé des mécanismes naturels d'infection des cellules.

Le champ d'application des thérapies géniques est potentiellement immense. Mais, même si aujourd'hui le principe de cette technique est acquis, il reste des obstacles à surmonter, en particulier concernant la mise au point de vecteurs capables de transporter efficacement le gène thérapeutique.

# Les vecteurs viraux

Dans les thérapies par les gènes, le vecteur est un véritable cheval de Troie. C'est lui qui doit emmener le gène-médicament au cœur de la cellule, où il doit corriger le défaut génétique responsable de la maladie. Les premiers vecteurs à avoir été employés dans les expériences de thérapie génique sont dérivés de virus.

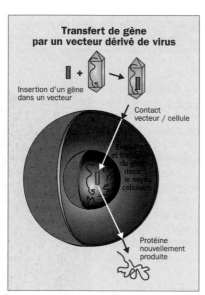

**Transfert de gène par un vecteur dérivé de virus**

Insertion d'un gène dans un vecteur

Contact vecteur / cellule

Entrée et transfert du gène dans le noyau cellulaire

Protéine nouvellement produite

## Construction de vecteurs viraux

Cette stratégie tire parti de la nature même des virus qui leur confère le pouvoir d'infecter les cellules pour y déclencher une maladie. Le patrimoine génétique d'un virus* porte également des gènes*. Certains de ces gènes confèrent aux virus leur pouvoir pathogène (en particulier le système de multiplication de virus). D'autres gènes codent des protéines* qui interviennent dans la construction de l'enveloppe qui permet au virus de voyager hors de la cellule*. La stratégie de construction d'un vecteur* à partir d'un virus consiste avant tout à éliminer la partie du patrimoine génétique responsable du pouvoir pathogène. Il faut également éliminer les systèmes viraux qui lui permettent de se multiplier. Enfin, il est important d'enlever tout gène « superflu », de manière à faire suffisamment de place pour pouvoir insérer le gène-médicament dans le patrimoine génétique du virus

À la découverte de la cellule | ADN et hérédité | L'utilisation des gènes | **Transfert de gènes**

(la taille de ce gène est donc forcément un facteur déterminant). Finalement, ce virus n'en est plus vraiment un. C'est juste un véhicule moléculaire capable de transporter le gène-médicament.

## Les différents types

Il existe différents types de vecteurs viraux. En fait, plus la recherche progresse, plus la panoplie de vecteurs viraux potentiels à la disposition des chercheurs s'étoffe, et, après avoir travaillé sur un nombre limité de modèles, les chercheurs s'emploient aujourd'hui à développer des vecteurs dérivés de virus appartenant à des familles très diverses. Tous ont leurs avantages et leurs inconvénients. Certains infectent préférentiellement les cellules qui se divisent beaucoup, d'autres les cellules qui se divisent peu. Certains agissent ponctuellement et se diluent au fur et à mesure des divisions cellulaires, d'autres s'intègrent dans l'ADN* de la cellule et se maintiennent donc dans la cellule hôte à chaque division. Enfin, certains infectent préférentiellement des organes difficiles d'accès comme le cerveau.

S'ajoute à ces paramètres la réaction de l'organisme à l'administration de ce vecteur. Aujourd'hui, aucun vecteur n'est parfait.

Il existe donc toute une série de facteurs qui conditionnent le choix et la mise au point d'un vecteur viral destiné à une stratégie de thérapie par les gènes. Au tout début de la thérapie génique*, les chercheurs pensaient pouvoir mettre au point un vecteur universel. On sait aujourd'hui que cette approche est illusoire.

**La sécurité : un impératif**

Tous les virus utilisés pour dériver des vecteurs destinés à la thérapie génique sont rendus non pathogènes.

Il est possible de fabriquer des véhicules, ou vecteurs, transportant le gène-médicament au cœur de la cellule à partir de virus. Aucun de ces vecteurs n'est parfait, et de nombreux vecteurs sont dérivés de virus appartenant à des familles différentes.

---

**Une recherche encadrée**

Tous les vecteurs dérivés de virus obéissent aux mêmes impératifs réglementaires que n'importe quel organisme génétiquement modifié. Les essais cliniques se déroulent en milieu confiné et leur approbation est soumise à l'avis de commissions spécialisées.

---

# Les vecteurs non viraux

En dehors des vecteurs viraux, il existe toute une série de techniques non virales permettant de faire pénétrer le gène-médicament dans la cellule. Là non plus, la technique idéale n'existe pas. Nous connaissons deux grandes stratégies permettant de faire pénétrer le gène-médicament dans la cellule sans utiliser de système viral.

J'AI UN COLIS POUR VOUS !

FRAPPEZ AVANT D'ENTRER.

ADN

### L'ADN « nu »

Sans utiliser de virus*, il est possible d'employer de simples molécules d'ADN* circulaires appelées « plasmides » pour faire pénétrer le gène-médicament dans la cellule*. Ce sont des molécules simples qui sont produites en bactéries, purifiées et introduites, le plus souvent par simple injection, dans les tissus à traiter. C'est une stratégie séduisante, car ces plasmides ne suscitent pas de réactions immunitaires (ce qui évite une réadministration ultérieure du même produit) et ils sont capables de porter des gènes* de grande taille, contrairement à la plupart des vecteurs* viraux utilisés aujourd'hui. De plus, ils sont faciles à produire en grandes quantités dans le respect des normes de fabrication imposées par la loi. L'inconvénient de cette approche est qu'une grande partie de l'ADN est détruite avant d'avoir joué son rôle. Dans le même ordre d'idées, il serait également possible de fabriquer des minichromosomes humains qui pourraient être utilisés comme vecteurs. Le gène-médicament serait alors introduit dans ce chromosome*. Administré à la cellule cible,

**Plus sûr ?**

Ne comportant pas d'éléments viraux, les vecteurs inertes peuvent s'avérer plus sûrs que leurs homologues viraux, mais rien n'est aujourd'hui définitivement acquis.

À la découverte de la cellule | ADN et hérédité | L'utilisation des gènes | Transfert de gènes

ce dernier permettrait ainsi une transmission optimale du gène-médicament à l'occasion de chaque division de la cellule. Cette approche est encore balbutiante.

## Les vecteurs synthétiques

Il est également possible d'emballer le gène-médicament dans des vésicules graisseuses appelées liposomes. De composition similaire à celle de la membrane plasmique entourant les cellules, ils fusionnent avec cette membrane, libérant leur contenu dans la cellule. Leur principal avantage est qu'ils ne suscitent pas de réaction de rejet de la part de l'organisme. De plus, il est possible d'y faire pénétrer des gènes de grande taille. En revanche, ils sont difficiles à fabriquer en masse et le gène ne pénètre pas facilement à l'intérieur de ces structures. Il est donc nécessaire d'en administrer de grandes quantités, avec pour conséquence un risque important de toxicité.

## Des problèmes à résoudre

Faire pénétrer de manière spontanée une molécule d'ADN dans la cellule n'est pas chose facile. C'est la nature chimique même de cette molécule qui s'y oppose. Dans l'état actuel des différentes techniques, il faut plusieurs dizaines de molécules d'ADN pour qu'une seule pénètre dans la cellule, ce qui est largement insuffisant. Il est nécessaire de mieux comprendre les raisons de ce très faible rendement. En fait, il faudrait reproduire artificiellement ce que la nature a réussi à faire pour les virus : obtenir un compactage important de la molécule d'ADN pour favoriser la traversée de la membrane cellulaire. De plus, la molécule ainsi compactée est beaucoup plus résistante à l'action destructrice de certaines enzymes* qui se trouvent à l'intérieur de la cellule. De nombreux travaux portent aujourd'hui sur ce point, car la nécessité d'une quantité très importante d'ADN enveloppé dans des liposomes ne va pas sans poser des problèmes de toxicité.

**Un mode d'administration simple**

L'administration de gènes-médicaments portés par des vecteurs non viraux s'effectue généralement de manière locale (injection intratumorale ou intramusculaire, par exemple).

Comme les vecteurs viraux, les vecteurs inertes ont leurs avantages et leurs défauts. Leur principal atout est qu'ils ne comportent pas d'éléments dérivés de virus. Mais aucune de ces approches n'est réellement satisfaisante.

# Les maladies cibles

Trois grandes familles de pathologies sont concernées par les thérapies issues de la connaissance des gènes : les maladies génétiques, de nombreux cancers et certaines maladies infectieuses (comme l'infection à VIH).

**De nouvelles perspectives**

En dehors des thérapies par les gènes, les progrès réalisés dans la recherche sur les cellules souches ouvrent de prometteuses perspectives concernant la régénération de multiples types cellulaires, jusqu'à présent inenvisageable.

## Les maladies génétiques

Les maladies génétiques sont nombreuses. On en connaît déjà, en effet, plus de 8 000, et la liste n'est pas close. Dans ce cas, c'est un dysfonctionnement du patrimoine génétique qui est en cause. Il peut impliquer un ou plusieurs gènes* (on parle alors de maladies monogéniques ou plurigéniques). Dans l'état actuel des connaissances et des techniques, pour des raisons de complexité évidentes, seules les maladies monogéniques sont accessibles aux thérapies issues de la connaissance des gènes. Dans leurs rangs se comptent les hémophilies, la mucoviscidose*, les myopathies* ainsi que de nombreuses maladies métaboliques. Se déclarant plus ou moins tôt dans la vie de l'individu, elles sont pour nombre d'entre elles, aujourd'hui encore, incurables et lourdement invalidantes.

## Le cancer

Sous le terme de cancer se regroupent toute une série de maladies caractérisées par une multiplication anarchique des cellules*. En dehors des gestes chirurgicaux, les traitements actuels incluent radio et chimiothérapie. Les thérapies par les gènes pourraient permettre de cibler et de détruire spécifi-

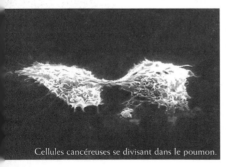
Cellules cancéreuses se divisant dans le poumon.

À la découverte de la cellule    ADN et hérédité    L'utilisation des gènes    Transfert de gènes

quement les cellules cibles. Seules ou couplées aux techniques existantes, elles devraient pouvoir s'avérer rapidement d'une très grande efficacité. C'est le domaine où les stratégies mises en œuvre sont les plus nombreuses. C'est également l'une des cibles les plus accessibles, car il ne s'agit ici que de « reconnaître » la cellule cancéreuse et de la détruire ou de forcer l'organisme à le faire. C'est une situation beaucoup plus « simple » que dans le cas de nombreuses maladies génétiques (*voir* pp. 36-37 et 38-39).

Rappelons enfin que certaines formes de cancer peuvent avoir une composante génétique. On parle alors de prédisposition. Cela ne signifie pas que la maladie se développera de manière systématique, mais que certains facteurs environnementaux (l'alimentation, par exemple) peuvent favoriser son apparition (*voir* pp. 16-17). D'autres formes de cancer surviennent spontanément à la suite de mutations*.

## Les maladies infectieuses

Les maladies infectieuses sont également une cible des thérapies par les gènes dans la mesure où le matériel génétique des virus* ou des bactéries fonctionne globalement de la même manière et est composé des mêmes constituants. Les principales stratégies consistent alors à empêcher le virus ou la bactérie de se multiplier. La plupart des travaux menés à l'heure actuelle concernent l'infection à VIH responsable du sida (*voir* pp. 40-41).

## Autres cibles

D'autres formes de lésions pourraient à terme bénéficier de ces stratégies thérapeutiques. On note en particulier les lésions nerveuses (accidentelles ou non) et plusieurs types de maladies acquises, dont des artériopathies, pour lesquelles les progrès aujourd'hui réalisés sont pour le moins spectaculaires.

Le champ des thérapies potentielles issues de la connaissance des gènes est immense. Il va des maladies génétiques, cibles théoriques idéales de cette stratégie, aux maladies infectieuses, en passant par certaines formes de cancer ou des lésions acquises, comme les atteintes nerveuses.

# Les maladies génétiques

**La possibilité de traitement de maladies par les gènes concerne aujourd'hui avant tout les familles de pathologies impliquant un dysfonctionnement du génome : les maladies génétiques et certaines formes de cancers pour lesquels on observe une prédisposition génétique.**

### Trouver l'origine génétique

Pour démontrer la composante génétique d'une maladie, de nombreuses campagnes de prélèvements sont imaginées et mises en place depuis plusieurs années. En France, cette action a essentiellement été menée sous l'égide de l'AFM (Association française contre les myopathies).

Il s'agit d'identifier les familles pour lesquelles on sait que plusieurs membres, sur plusieurs générations, souffrent ou ont souffert de telle ou telle maladie. Ce sont le plus souvent les médecins qui effectuent ce recensement, en particulier dans le cas de maladies rares. Pour des pathologies plus fréquentes, il est arrivé que les familles soient sollicitées, par exemple par voie d'affichage public (cela a été le cas pour une campagne de prélèvements concernant le diabète). Dans le cas des maladies génétiques et du cancer, il faut tout d'abord démontrer l'existence d'une composante génétique, étudier quelle est la fonction du produit du gène* dans l'organisme et identifier précisément le gène responsable de la maladie.

### De l'origine génétique

Chaque individu possède un patrimoine génétique unique. Mais, au sein d'une même famille, on observe bien entendu des ressemblances. En comparant le patrimoine génétique des malades ou des personnes

| À la découverte de la cellule | ADN et hérédité | L'utilisation des gènes | Transfert de gènes |

non atteintes d'une même famille, les chercheurs arrivent à déterminer une ou plusieurs régions du génome* qui se retrouvent spécifiquement chez les personnes atteintes par la maladie. Elles ont alors de fortes chances de contenir un des gènes, ou l'unique gène, responsable de la maladie à laquelle on s'intéresse.

---

**D'origine génétique**

On dénombre aujourd'hui environ
8 000 maladies d'origine génétique.
Parmi les maladies monogéniques,
on note l'hémophilie, la mucoviscidose*,
certaines formes de cancer ou de diabète,
les myopathies*...

---

## Créer des banques

Puisque toutes les cellules* contiennent le même patrimoine génétique, une simple prise de sang suffit en général. L'ADN* des cellules de chacun des membres de chaque famille acceptant de participer à cette campagne de prélèvements est ensuite isolé. Les échantillons ainsi obtenus sont ensuite stockés dans ce qu'il a été convenu d'appeler des banques, et mis à la disposition des chercheurs. Plusieurs banques de ce type existent en France et à l'étranger. Dans notre pays, la plus importante est hébergée par le laboratoire Généthon. Elle contient plus de 37 000 échantillons, représentant plus de 270 maladies différentes.

Dans l'état actuel des avancées technologiques, il n'est possible d'envisager le traitement par les gènes que pour des maladies génétiques dites monogéniques, c'est-à-dire celles pour lesquelles on sait qu'un et un seul gène est impliqué. Pour d'autres maladies, plusieurs gènes sont impliqués, et il sera alors très difficile d'envisager un traitement par les gènes, en tout cas à moyen, voire à long terme.

Pour déterminer l'origine génétique d'une maladie, il faut trouver des familles informatives. Des prélèvements sont ensuite réalisés. Stockés dans des banques spécialement conçues à cet effet, ils sont mis à la disposition des chercheurs travaillant à déterminer l'origine génétique de telle ou telle pathologie.

# Le cancer

Le cancer est une maladie qui se caractérise par une multiplication anarchique des cellules. Des gènes impliqués dans le développement normal ou anormal de la cellule interviennent (lorsqu'ils ne fonctionnent pas correctement) dans le processus de cancérisation.

## Gènes suppresseurs et oncogènes

La vie d'une cellule* est contrôlée, schématiquement, par un équilibre entre deux familles de gènes* : les gènes suppresseurs de tumeurs et les oncogènes. Les premiers empêchent la cellule de se diviser de manière anarchique. Les seconds, en favorisant les divisions cellulaires, l'empêchent d'entamer un programme de mort cellulaire programmée appelé apoptose. Dès que l'un de ces gènes subit une mutation*, la vie de la cellule est déréglée et cela engendre la maladie.

## Les moyens génétiques

Contrairement à d'autres pathologies (en particulier les maladies monogéniques), il est plus facile d'utiliser la génétique pour jouer sur les cellules cancéreuses. En effet, dans la plupart des cas, il est nécessaire que le gène thérapeutique s'exprime de manière stable et au bon endroit. Dans le cas des cancers, il n'y a pas besoin que le gène s'exprime durablement, il suffit que la cellule cible soit tuée, peu importe ce qu'il arrive ensuite au gène-médicament. Il s'agit donc d'un transfert temporaire.

## La stimulation du système immunitaire

Logiquement, le système immunitaire* est capable de reconnaître les cellules cancéreuses comme étrangères. Elles portent en effet à leur surface des récepteurs spécifiques capables de stimuler le système immunitaire. Mais l'action de ce dernier n'est pas toujours efficace. Une stratégie consiste donc à stimuler par transfert

À la découverte de la cellule | ADN et hérédité | L'utilisation des gènes | Transfert de gènes

de gènes le système immunitaire de manière à ce que celui-ci reconnaisse plus efficacement les cellules cancéreuses et les détruise.

> **Les essais sur le cancer**
> Plus de 63 % des essais cliniques en cours à l'heure actuelle concernent le cancer.

## Le gène suicide

C'est là un système original de l'application du transfert de gènes. C'est un gène codant un promédicament (c'est-à-dire codant une substance qui, sous l'action d'une seconde molécule, est activée et tue la cellule) qui est inséré à l'intérieur de la cellule. Lorsque l'on ajoute la seconde molécule, le système de gène suicide est activé et la cellule est détruite. Des systèmes de ciblage complexes permettent de ne viser essentiellement que les cellules cancéreuses. La plupart des essais actuellement en cours concernant le cancer utilisent cette technologie.

VOILÀ ! LE GÈNE EXPLOSIF EST INTRODUIT, IL NE LUI RESTE QU'À TROUVER LE GÈNE DÉTONATEUR.

Le cancer est probablement l'une des familles de pathologies les plus accessibles à la thérapie par les gènes, car, dans ce cas de figure, il ne s'agit que de tuer les cellules cibles et non pas de restaurer à long terme une activité biologique.

## Les autres approches

D'autres approches sont actuellement envisagées dans le domaine du transfert de gènes. L'une d'entre elles utilise des « antisens », c'est-à-dire des molécules qui viennent bloquer l'expression du gène défectueux.

# Autres cibles des thérapies par les gènes

**En dehors des maladies génétiques à proprement parler et des cancers, d'autres formes d'affections sont accessibles aux thérapies par les gènes. Entre autres, on notera les maladies infectieuses et les maladies à prédispositions génétiques comme les maladies cardio-vasculaires, mais également celles des systèmes de régénération de tissus.**

## Les maladies infectieuses

Les maladies infectieuses sont par nature des maladies véhiculées par des agents pathogènes tels que virus* ou bactéries. Tous sont des parasites cellulaires. C'est-à-dire qu'ils se servent du fonctionnement de la cellule* pour leur propre métabolisme. Mais ces organismes possèdent également un matériel génétique constitué des mêmes éléments fondamentaux que le nôtre. Cette propriété les rend accessibles aux thérapies issues de la connaissance des gènes*. La stratégie consiste alors essentiellement à employer des « antisens », c'est-à-dire des molécules capables de bloquer l'expression des gènes responsables de la pathogénicité. C'est une approche aujourd'hui testée dans le cas de l'infection à VIH. Elle semble malgré tout peu prometteuse.

## Les maladies vasculaires

En dehors du champ des maladies cardio-vasculaires à composante génétique, telle l'hypercholestérolémie familiale, qui peut être traitée par thérapie génique*, d'autres affections vasculaires, souvent liées au mode de vie, comme le tabagisme ou l'alimentation,

TRAFIC-INFO.
BOUCHON
PRENDRE
iTiNÉRAiRES
BiS.

À la découverte de la cellule | ADN et hérédité | L'utilisation des gènes | Transfert de gènes

mais pouvant également faire l'objet d'une prédisposition génétique, peuvent bénéficier de cette stratégie. Par exemple, dans le cas d'une obstruction des artères, il est possible de faire travailler un gène commandant le développement de vaisseaux sanguins. Se créent alors des microvaisseaux qui contournent l'obstruction, apportant par là même la solution à une maladie où l'amputation est parfois la seule issue. Les résultats des premiers travaux sur l'homme sont ici spectaculaires.

## La régénération de tissus

C'est dans le domaine de la régénération nerveuse que la thérapie génique offre probablement le plus de possibilités nouvelles. Une lésion, lors d'un accident touchant le système nerveux, par exemple, est *a priori* irréversible. Les techniques issues de la connaissance des gènes peuvent être utilisées pour stimuler la croissance et la régénération nerveuse. Bien que moins avancés que dans le cas des artériopathies, les travaux menés à l'heure actuelle semblent également prometteurs. Des recherches sont également effectuées dans le domaine de la régénération osseuse.

En dehors des maladies génétiques à proprement parler et des cancers, les techniques issues de la connaissance des gènes peuvent bénéficier à d'autres domaines, comme les maladies infectieuses, certaines maladies vasculaires ou la régénération nerveuse.

### Les cellules souches : un formidable outil

Obtenir toutes sortes de cellules spécialisées pour pouvoir les greffer et pallier ainsi un dysfonctionnement donné représenterait une avancée considérable. Malheureusement, de très nombreux types cellulaires sont extrêmement difficiles à cultiver au laboratoire pour en obtenir des quantités suffisantes, utilisables à des fins thérapeutiques.

Les chercheurs pensent aujourd'hui parvenir à forcer les cellules à reprogrammer leurs fonctions vers la spécialisation désirée.

Il serait également possible à partir de cellules souches, c'est-à-dire non spécialisées, de les forcer à entrer dans une voie de différenciation donnée grâce à des cocktails complexes de facteurs de croissance ou d'hormones. Ainsi on obtiendrait à volonté des cellules musculaires, des neurones*... C'est une direction de recherche très prometteuse.

# Essais cliniques et précliniques

Toute une série de tests sont nécessaires avant la mise sur le marché d'un nouveau médicament. Ce sont les essais cliniques. En France, leur mise en œuvre est sévèrement contrôlée par des organismes spécialisés.

**Du labo à la pharmacie**

Il faut compter en général dix ans entre le début d'une recherche en laboratoire et la mise sur le marché d'un nouveau médicament. Pour un médicament « classique » (non issu de la connaissance des gènes), on estime qu'environ 1 molécule sur 5 000 arrive finalement dans les pharmacies ou les hôpitaux.

## Essais cliniques : définition

Les essais cliniques permettent de démontrer l'absence de danger, la meilleure efficacité du nouveau traitement (lorsqu'un traitement existe) ou la simple efficacité (lorsqu'il n'y a pas de traitement). Pour l'homme, les essais cliniques se décomposent en quatre phases. Ces tests sont précédés d'études précliniques, le plus souvent réalisées chez des animaux souffrant d'une maladie similaire. On parle d'animaux modèles.

## Les essais précliniques

Ces études sont réalisées tout d'abord sur des cellules* en culture, puis sur des animaux présentant des symptômes similaires à ceux provoqués par la maladie chez l'homme. Ces modèles animaux, lorsqu'ils ne surviennent pas de manière spontanée, sont complexes à obtenir. En effet, introduire une mutation* correspondant à une pathologie chez l'homme n'induit pas forcément les mêmes effets chez l'animal. Les résultats obtenus lors de ces études sont donc parfois délicats à interpréter. Pour de nombreuses maladies, il n'existe pas encore de modèle animal fiable.

VOTRE TOUR VIENDRA APRÈS.

## La phase I

La première phase de ces essais est classiquement destinée à tester l'innocuité du médicament chez des volontaires sains. Elle permet de vérifier la bonne

À la découverte de la cellule | ADN et hérédité | L'utilisation des gènes | Transfert de gènes

absorption et l'élimination ultérieure de la substance active. Aucun effet thérapeutique n'est attendu lors de cette phase. C'est une phase très préliminaire. La plupart des essais cliniques dans le domaine de la thérapie génique\* se limitent à une phase I.

**En France**

La France est l'un des premiers pays à s'être dotés d'une législation spécifique concernant la mise sur le marché de médicaments issus de la connaissance des gènes.

## La phase II

Les essais de phase II sont tout autres. Ils visent à démontrer sur un petit nombre de patients l'efficacité thérapeutique du gène\* transféré. Le nombre de patients inclus dans ces essais ne dépasse généralement pas la dizaine. Les essais sont de courte durée et permettent de déterminer la bonne posologie et de vérifier l'effet du produit en fonction de la dose administrée. Ils peuvent également servir à identifier certains effets indésirables.

## La phase III

Les essais de phase III sont destinés à démontrer la réelle efficacité thérapeutique du gène-médicament ou de quelque substance que ce soit sur un plus grand nombre de patients. Plusieurs centaines de patients sont alors inclus dans les essais thérapeutiques. Ces essais sont effectués sous forme comparative, soit par rapport à un placebo, soit par rapport à un produit de référence. À l'issue des essais de phase III, le promoteur, compte tenu des résultats qu'il a obtenus, dépose une demande d'autorisation de mise sur le marché auprès des autorités compétentes. Cette demande est déposée pour l'ensemble de l'Union européenne lorsqu'il s'agit de produits issus des biotechnologies.

## La phase IV

La quatrième phase des essais cliniques est plus particulière. Il s'agit d'une phase dite de « pharmacovigilance » qui consiste à suivre le produit après qu'il a été mis sur le marché. On étudie alors à grande échelle les éventuels effets secondaires ou de réactions toxiques.

Les essais cliniques sont une étape obligée précédant la mise sur le marché d'un nouveau médicament. Divisés en trois phases, ils permettent de démontrer l'absence de danger du nouveau produit, de déterminer la posologie et de vérifier son efficacité.

# Les essais en France et dans le monde

Il y a actuellement plus de 425 essais cliniques menés de par le monde. La plupart se déroulent aux États-Unis et concernent le cancer. Pour la majorité, il s'agit d'essais de faisabilité, destinés à démontrer que la technique est applicable à l'homme, inoffensive, et que les effets thérapeutiques sont significatifs.

## Les essais en France

Il y a 16 essais de thérapie génique répertoriés en France. 10 de ces essais concernent le cancer, 1 la mucoviscidose* et 5 des maladies génétiques.

## Les modèles animaux

Ni les expériences en tubes à essais, ni même celles en culture de cellules* ne suffisent à démontrer l'efficacité thérapeutique du gène-médicament chez l'homme. Même si des recherches intenses sont en cours actuellement pour trouver un substitut à l'expérimentation animale, rien aujourd'hui ne permet d'éviter cette étape.

## Les études toxicologiques

Devant la difficulté pour démontrer l'efficacité des médicaments, l'objectif est de tester des lots de produits similaires à ceux qui seront utilisés pour les expériences sur l'homme selon la même procédure. Cette approche est la même pour tous les produits issus de la connaissance des gènes*. Elle a été définie lors d'une dernière session de la conférence internationale sur l'harmonisation des procédures de développement des médicaments associant l'Europe, les États-Unis et le Japon. Trois critères principaux ont été retenus : l'espèce modèle utilisée, la dose de produit administrée et la voie d'administration. Un problème qui se pose souvent est le choix de l'espèce sur laquelle seront effectuées les dernières expériences précliniques. La plupart des chercheurs s'accordent aujourd'hui à dire que les modèles animaux ne sont pas la panacée, n'étant pas dans la plupart des cas une réplique exacte de la pathologie humaine.

À la découverte de la cellule | ADN et hérédité | L'utilisation des gènes | Transfert de gènes

## La répartition des essais dans le monde

Dans le monde, au mois de mai 2000, 425 essais cliniques ont été recensés. Ils concernent 3 476 patients. 66 % des essais concernent le cancer, 13 % concernent des maladies génétiques (monogéniques, c'est-à-dire dont on sait qu'elles n'impliquent qu'un seul gène).

## Répartition des essais cliniques dans le monde

(au mois de mai 2000)

| Continent | Nombre d'essais | Nombre de patients |
|---|---|---|
| Afrique | 1 | 15 |
| Amérique | 310 | 2 383 |
| Asie | 9 | 37 |
| Australie | 3 | 13 |
| Europe | 97 | 727 |
| Multicontinent | 5 | 301 |
| **Total** | **425** | **3 476** |

*Source : http://www.wiley.co.uk/genetherapy*

## Répartition des essais par type de pathologie

| | Nombre d'essais | Nombre de patients |
|---|---|---|
| Maladies monogéniques | 55 | 306 |
| Cancer | 279 | 2 459 |
| Maladies infectieuses | 33 | 412 |
| Autres | 58 | 299 |
| **Total** | **425** | **3 476** |

*Source : http://www.wiley.co.uk/genetherapy*

Parmi les quelque 400 essais répertoriés dans le monde, la majorité concernent le cancer. Relativement peu d'essais touchent aujourd'hui des maladies monogéniques, plus complexes pour la plupart d'entre elles à aborder sous l'angle de la thérapie génique.

# Thérapie génique : progrès et déboires

**Depuis une quinzaine d'années maintenant, la thérapie génique fait de grands progrès. Ce n'est pas encore une réalité médicale, mais les premiers résultats semblent donner raison à ceux qui y croient.**

### En France, des enfants bulle soignés

La nouvelle est tombée au mois d'avril 2000. Une équipe de l'hôpital Necker dirigée par le Pr Alain Fischer est parvenue à soigner trois enfants (sur cinq participant à l'essai) atteints d'une maladie génétique gravissime : le déficit immunitaire combiné sévère dû au mauvais fonctionnement d'un gène* intervenant dans la fonction immunitaire. Les chercheurs ont isolé des cellules* précurseurs de la moelle osseuse chez chacun des enfants participant à cet essai. Ils ont ensuite fait pénétrer dans ces cellules une version correcte du gène portée par un véhicule viral. Les cellules ainsi modifiées et mises en culture ont été ultérieurement réinjectées aux patients sans autre forme de traitement. Le résultat observé est spectaculaire. Trois des enfants ont recouvré un système immunitaire* fonctionnel en l'absence de tout effet toxique et ont donc pu quitter leur bulle stérile. Reste qu'il demeure

**Le coût des thérapies géniques**

Le coût des thérapies par les gènes est aujourd'hui très difficile à évaluer, mais il est probable que si l'on tient compte des aspects non seulement sanitaires mais également économiques liés aux pathologies cibles de ces approches thérapeutiques, ces nouvelles stratégies sont globalement d'un coût inférieur à celui des quelques traitements aujourd'hui disponibles.

---

**La maladie de l'enfant bulle**

Le déficit immunitaire combiné sévère (maladie obligeant les enfants qui en sont atteints à vivre dans une bulle stérile) est un déficit relativement rare qui atteint environ 1 enfant sur 15 000. C'est un défaut dans les systèmes de communication entre les cellules qui en est la cause. Cette maladie est extrêmement grave puisqu'en l'absence de traitement les enfants décèdent en général avant l'âge de 1 an, victimes d'infections contre lesquelles leur organisme ne peut se défendre. La seule possibilité thérapeutique est la greffe de moelle osseuse, et les chances de succès sont limitées.

---

À la découverte de la cellule | ADN et hérédité | L'utilisation des gènes | Transfert de gènes

plusieurs inconnues. On ne sait pas encore aujourd'hui, le recul étant insuffisant, si les résultats observés seront temporaires ou définitifs. En tout état de cause, s'ils devaient être temporaires, l'absence d'effet toxique permettrait de renouveler l'opération aussi souvent que nécessaire.

> **Le risque zéro**
> Le risque zéro n'existe pas en matière d'expérimentation médicale. Tout nouveau traitement, toute nouvelle approche comportent des risques qu'il convient de minimiser en adoptant des mesures de sécurité adaptées.

## Aux États-Unis : coup d'arrêt

Un coup d'arrêt a été donné fin 1999 aux États-Unis dans le domaine des thérapies géniques*. Un premier décès a été constaté lors d'un essai clinique de traitement d'une maladie métabolique (le déficit en OTC), probablement du fait d'une injection d'une dose très importante de virus* porteur du gène-médicament. Cette annonce, la première du genre, a été le point de départ d'autres révélations : plusieurs autres accidents de ce type auraient été dissimulés aux autorités réglementaires américaines. Il semble en fait, sans remettre en cause les possibilités thérapeutiques de ces approches, que des manquements aux règles de sécurité aient été observés. La FDA (Food and Drug Administration) américaine, en charge de la surveillance des essais, a immédiatement fait stopper la plupart des essais utilisant la même approche. Il faut, dans cette affaire, avoir en tête que la pression exercée sur les chercheurs par les industriels de la pharmacie est très importante. En France, la situation est différente. Les doses utilisées dans ce genre d'expérience sont bien inférieures, et les procédures d'autorisation des essais, bien que paraissant trop contraignantes à certains, semblent se révéler efficaces contre ce type de dérive dû probablement à un trop grand empressement à générer des profits.

> Au vu des derniers résultats obtenus, on peut raisonnablement s'attendre à ce que les génothérapies deviennent dans les années à venir une technologie mature et applicable à l'homme. Mais les problèmes récemment rencontrés aux États-Unis montrent que le passage à l'homme ne se fera pas sans respecter des mesures de précaution et de sécurité maximales.

# Les maladies rares

Il existe deux grandes familles de maladies, que l'on peut définir non pas en fonction d'un traitement potentiel (les maladies curables ou incurables), mais en fonction du nombre de personnes qu'elles touchent.

## Des pathologies mal connues

Les maladies rares sont mal connues du corps médical, du grand public et des acteurs publics. Elles n'intéressent ni la recherche publique, ni les industries pharmaceutiques, qui estiment le nombre de malades trop faible pour engager une recherche longue et coûteuse qui n'assurerait pas un retour sur investissement satisfaisant. Il est important de noter que ces personnes sont le plus souvent dans une situation d'exclusion sociale du fait du handicap et de la souffrance que génère la maladie, mais également du fait d'un déficit de prise en charge par la société (accès aux lieux publics, aides diverses…). Il s'agit là ni plus ni moins que d'un manquement aux droits fondamentaux de la personne.

### Syndrome

Certaines de ces maladies sont tellement rares qu'aujourd'hui encore elles n'ont pas reçu de dénomination officielle et qu'on emploie souvent le terme générique de « syndrome ».

## Les maladies rares, un fléau

Elles ne font pas encore, en France, l'objet d'une politique de santé publique spécifique, contrairement à ce qui se passe aux États-Unis ou au Japon. Depuis quelques années, ces pays ont en effet mis

À la découverte de la cellule | ADN et hérédité | L'utilisation des gènes | Transfert de gènes

en place des systèmes incitant les industriels de la pharmacie à s'intéresser à ces maladies (aide financière au développement, allongement de la protection par brevet – période plus importante d'exclusivité pour l'industriel ayant développé le produit). Les structures (publiques ou privées) travaillant sur ces thématiques bénéficieront de mesure incitatives telles que la diminution, voire la suppression des droits d'enregistrement ou un droit exclusif d'exploitation du produit pour une période fixée par le texte européen (8 ou 10 ans). Serait alors considérée comme maladie rare toute pathologie touchant moins de 1 personne sur 2 000. Plus de 5 000 maladies rares, dont 80 % d'origine génétique, seraient alors concernées, le plus souvent des maladies graves, invalidantes et mettant en péril la vie des patients. Pour notre seul pays, ce sont entre 3 et 4 millions de personnes qui pourraient, au cours de leur existence, être atteintes par l'une de ces maladies.

---

**Mobilisation européenne**

La mobilisation européenne sur la génétique se fait, mais à pas comptés, tandis que des millions de patients atteints de maladies rares guettent les avancées thérapeutiques, qui les concernent directement.

## Une réglementation spécifique

Un règlement européen sur les maladies rares a été adopté en avril 1998. Il a force de loi dans l'ensemble des pays de l'Union européenne.

Ce texte définit les maladies rares (moins de 5 personnes sur 10 000 atteintes par la maladie) et instaure des mesures d'incitation pour favoriser la recherche dans ce domaine. Il a été définitivement adopté le 15 décembre 1999 et est entré immédiatement en vigueur dans l'ensemble des États de l'Union européenne dès sa publication au *Journal officiel*, survenue le 22 janvier 2000.

Les maladies rares sont des maladies touchant peu de patients, qui mettent souvent leur vie en danger et sont invalidantes. Plus de 5 000 de ces maladies ont été répertoriées. D'origine génétique pour la plupart, elles sont accessibles aux thérapies issues de la connaissance des gènes.

# Les entreprises de biotechnologie

Il n'y a, en France, que peu d'entreprises spécifiquement impliquées dans les biotechnologies, même si l'Hexagone a longtemps été à la pointe de la recherche fondamentale. L'Europe dans son ensemble, avec ses deux leaders, l'Allemagne et le Royaume-Uni reste en retrait par rapport aux États-Unis.

## GENOPOLE

Il manquait à notre pays des pôles d'excellence, associant recherche, industrie, enseignement, pour créer une masse critique, susciter les collaborations et les interactions dans un environnement favorable au développement de ces technologies. C'est la vocation de GENOPOLE, inaugurée en 1998 et basée à Évry, qui fédère autour des grands centres de recherche des universités et des entreprises de renommée internationale.

## Un grand retard par rapport aux États-Unis

Le rapport est de l'ordre de 100 entreprises consacrées aux biotechnologies aux États-Unis pour 1 en Europe. Et la France se situe loin derrière l'Allemagne et le Royaume-Uni, avec seulement quelques entreprises spécifiquement dédiées aux biotechnologies. En revanche, notre territoire a le privilège d'héberger deux parmi les rares sociétés de biotechnologie européennes dont la taille relativement importante leur permet d'aborder le marché avec une relative sérénité (Transgène à Strasbourg et Genset à Évry). Par ailleurs, la France, contrairement à ses voisins, qui ont trouvé d'autres solutions de financement, a été longue à se doter d'une procédure boursière permettant à des sociétés de haute technologie (dont les biotechnologies) de lever des capitaux privés sans avoir à se conformer aux règles standard du marché boursier.

## La dépendance américaine

Ce n'est pas chercher une querelle de clocher que de se rendre compte que la pharmacologie de demain va essentiellement dépendre de l'industrie américaine.

À la découverte de la cellule | ADN et hérédité | L'utilisation des gènes | Transfert de gènes

Or cette dernière n'est pas forcément plus innovante. Il faut constater encore une fois, malheureusement, l'État n'étant pas très souple par ailleurs, que l'esprit entrepreneurial n'est décidément pas le même de part et d'autre de l'Atlantique. Nous n'en voulons ici pour preuve que le nombre de demandes de brevets technologiques déposés aux États-Unis et en France actuellement, comparé au nombre de publications scientifiques, qui reflète effectivement le dynamisme scientifique d'un pays dans un domaine donné. Mais la problématique est également autre. Vouloir développer un produit issu de la connaissance des gènes* est un labeur de longue haleine… Il faut en général compter dix ans entre les travaux de laboratoire et leur utilisation en pharmacie ou à l'hôpital… C'est long, et c'est surtout très long pour des investisseurs. Ainsi, autant les financiers ont investi dans la production de protéines* recombinées, autant ils « rechignent » aujourd'hui à investir dans la thérapie génique*, estimant le retour sur investissement trop peu sûr et surtout trop long à venir.

## Le coût des médicaments

Il se vend aujourd'hui pour 420 milliards d'euros par an de médicaments, le coût de ces derniers représentant 12 % des dépenses de santé. Ce pourcentage devrait augmenter avec l'arrivée de nouveaux médicaments contre des maladies aujourd'hui encore incurables comme l'ostéoporose, les maladies de Parkinson ou d'Alzheimer ou encore certains cancers. En revanche, une grande part du budget absorbé par les nouveaux médicaments devrait faire diminuer les coûts totaux.

Les entreprises de biotechnologie sont beaucoup plus nombreuses outre-Atlantique qu'en France, et qu'en Europe en général. L'Europe possède pourtant un réel atout en matière d'innovations technologiques.

# Transfert de gènes et coût de la santé

Dans le domaine de la thérapie génique, les questions économiques – coût de ces thérapies, économies ou dépenses de santé supplémentaires – restent encore des hypothèses, et il est aujourd'hui très difficile de disposer de données parfaitement fiables concernant ces questions.

## Les coûts par maladies

Selon une étude datant de 1997 réalisée par la société Business Communications Company, le marché mondial des thérapies géniques* devrait atteindre 3,8 milliards de dollars à l'horizon 2010. Parmi les principales pathologies remarquées, on note l'hypercholestérolémie familiale (marché annuel : 25 millions d'euros), la polykystose rénale (10 millions d'euros), la mucoviscidose* (5,2 millions d'euros) la chorée de Huntington (5,2 millions d'euros) et la myopathie* de Duchenne (1,8 million d'euros).

---

### Le diabète

Aujourd'hui, d'après les chiffres de l'OMS, le diabète sucré touche au moins 140 millions de personnes dans le monde. Beaucoup de cas découlent de prédispositions génétiques et représentent un peu moins de 10 % des budgets de santé des pays industrialisés.

---

## L'investissement

Investir dans un secteur aussi complexe que celui-ci oblige forcément à plus d'attention et surtout à bien comprendre quels sont ces problèmes et comment les résoudre. Les banques s'y risquent peu, et c'est essentiellement l'affaire du capital-risque, avec comme souci majeur celui de la propriété industrielle. Dans le domaine de la thérapie génique, c'est une situation extrêmement complexe, car il y a mélange et superposition de plusieurs technologies susceptibles de brevets, donc d'exclusivité et de conflits commerciaux. Il y a tout d'abord le gène*. La concurrence est alors celle des autres sociétés, en particulier génomiques, et des universités. Pour l'investisseur, les thérapies géniques sont encore aujourd'hui un secteur à haut risque quel que soit le pays concerné. Or les groupes industriels ont investi en 1996 plus de 1 milliard d'euros, contre 700 millions en 1995, 300 en 1994 et 100 en 1992.

## La faisabilité

Les thérapies par le gène, certains y croient dur comme fer, d'autres doutent encore. Pourtant, les derniers résultats obtenus sont encourageants. Les journaux télévisés, la presse ont fait état, fin 1998, de ces artères obstruées autour desquelles le gène-médicament avait construit des « *vaisseaux de secours* », des déviations. Des malades qui devaient être amputés et qui marchent ! ! ! Aujourd'hui, ce sont des enfants bulle atteints d'un déficit immunitaire qui rentrent chez eux... Bien sûr, tout n'est pas fini...., mais les progrès sont là. Chaque jour apporte son lot de nouvelles découvertes, de nouveaux espoirs.

## Et le coût ?

Il est évident que ce coût n'est pas aujourd'hui une donnée claire. L'économie de ce type de thérapie est difficile à établir, mais doit se juger sur l'économie globale des coûts de santé. Il est probable qu'à terme les coûts de nombreuses approches de

> **Le coût des essais**
>
> Il faut compter entre 100 et 200 millions d'euros pour chaque essai clinique avant d'envisager une éventuelle mise sur le marché.

thérapie génique seront similaires aux coûts de thérapies souvent décevantes pratiquées à l'heure actuelle, en particulier en ce qui concerne le cancer. Aujourd'hui, aux États-Unis, le coût d'un patient cancéreux entrant à l'hôpital est de plus de 50 000 euros. Pour ce même prix, à terme, une thérapie génique devrait être possible à moindre coût.

La mise au point d'un médicament coûte cher. Les technologies de pointe dans le domaine de la biologie sont d'une complexité qui freine l'investissement. En revanche, il est raisonnable de penser qu'une fois mises au point elles représenteront un gain en termes de coût direct et indirect pour la santé.

# Le pouvoir des malades

La thérapie génique, comme ce fut le cas pour la cartographie du génome humain, n'a pas suscité un grand enthousiasme des pouvoirs publics. Trop loin, trop compliqué. Bref, trop peu sûr pour qu'un engagement politique se manifeste de manière claire face à la demande des malades et des associations les représentant.

## L'implication de L'État

Aujourd'hui, les programmes de séquençage et de génotypage ont été repris par l'État. Généthon, demeurant l'outil de l'AFM, s'oriente désormais vers la production de vecteurs destinés à la thérapie génique. Fin 1997, les premiers lots de vecteurs sont ainsi mis à la disposition des chercheurs pour assurer des recherches précliniques.

## L'appel à la générosité publique

C'est donc à la générosité publique qu'il a fallu et qu'il faut encore faire appel, même si les premiers résultats en matière de thérapie génique\* s'avèrent extrêmement prometteurs. Mais, il y a plus de dix ans maintenant, c'est dans un contexte de non-reconnaissance médicale des maladies génétiques que l'Association française contre les myopathies (AFM) inaugure en 1987 le premier Téléthon à la française. Venue des États-Unis, l'idée prend corps en France. Le compteur du premier Téléthon affichait plus de 194 millions de francs lors de sa première édition, en 1987, pour atteindre 468 millions en 1999. C'est aujourd'hui une manne financière destinée à tirer parti le plus rapidement possible de l'ensemble des techniques issues de la connaissance des gènes\*.

« Salle des Marks® » du laboratoire Généthon. Centre de recherche sur le génome humain et les maladies génétiques.

© AFM / L. Morvan

## Une recherche de haut niveau

Au regard des sommes récoltées, l'AFM s'est immédiatement tournée vers la recherche et a lancé tous les ans depuis maintenant plus de dix

À la découverte de la cellule | ADN et hérédité | L'utilisation des gènes | Transfert de gènes

ans des appels d'offres destinés à financer des équipes de recherche publiques ou privées dont les compétences et les thèmes de recherche correspondaient aux aspirations de l'Association. Comme dans le cas d'autres associations de malades, les projets de recherche sont évalués par un comité scientifique composé de spécialistes de la biologie et de la génétique moléculaire et de cliniciens. En 1999, l'AFM a consacré 160 millions de francs de son budget de recherche au financement d'équipes travaillant sur les thérapies issues de la connaissance des gènes.

## Un laboratoire unique au monde

Afin de découvrir l'origine génétique de nombreuses maladies encore incurables, l'AFM, forte des dons du Téléthon, décide de mettre en œuvre un programme ambitieux sans équivalent en France ni à l'étranger. Il s'agit de réaliser les premières cartes du génome* humain. Ce sera Généthon en 1990. Deux décisions majeures sont donc prises : baliser le génome humain pour faciliter la découverte des gènes et, pour parvenir à ce but, se donner les moyens d'automatiser des manipulations de laboratoire longues et fastidieuses. Vite, aller vite, toujours plus vite. Généthon s'est également employé à collecter et stocker l'ADN* des familles atteintes de maladies génétiques, accélérant grandement le travail des chercheurs. La banque de Généthon détient l'ADN de plus de 200 maladies et est l'une des premières banques européennes dans ce domaine. Tête de pont d'un réseau français associant des laboratoires situés à Nantes et à Marseille, Généthon se consacre aujourd'hui à la production de vecteurs* destinés à la thérapie génique. En 1999, ce sont plus de 350 lots de vecteurs qui auront été fournis à 67 équipes de chercheurs français ou étrangers menant des essais sur 50 maladies différentes : cancers, maladies musculaires, diabètes, maladies du foie…

La connaissance des gènes a rapidement abouti à identifier l'origine génétique de maladies graves, invalidantes et incurables. Les associations de malades, et en particulier l'AFM grâce aux dons du Téléthon, ont largement contribué à la reconnaissance sociale de ces maladies et aux progrès scientifiques aujourd'hui générateurs d'espoir.

# Les réglementations française et européenne

**La manipulation du matériel génétique, comme toute nouvelle technologie, suscite certaines angoisses, y compris chez certains chercheurs. Aujourd'hui, il est raisonnable de penser que le cadre réglementaire mis en place permettra d'éviter toute dérive.**

### Textes européens et français

La réglementation européenne des travaux portant sur les organismes génétiquement modifiés (catégorie à laquelle appartiennent les vecteurs* chargés de leur gène-médicament) est principalement sur deux textes : les directives 90-219 (utilisation confinée des micro-organismes génétiquement modifiés) et 90-220 (dissémination volontaire d'organismes génétiquement modifiés).

> **Maladies rares**
>
> **Les maladies rares sont désormais définies comme des pathologies touchant moins de 5 personnes sur 10 000.
> Il y a plus de 5 000 maladies rares, dont 80 % sont d'origine génétique.
> 4 à 5 millions de personnes seraient concernées en France.**

La France, comme l'exigent les traités européens, a transposé les deux directives en droit national : c'est la loi 92-654 qui modifie la loi de 1976 relative aux installations classées pour la protection de l'environnement.

Principalement inspirée par le rapport rédigé au nom de la Commission des affaires sociales du Sénat par le sénateur Claude Huriet, cette loi définit le statut des thérapies géniques* et cellulaires. Les substances employées pour ces thérapies définissent une nouvelle classe de produits thérapeutiques qui ne sont pas exactement, en termes de droit, assimilés à des médicaments en tant que tels. Toutes les activités de thérapie génique ne peuvent avoir lieu que dans des établissements agréés par le ministère de la Santé.

## Autorisations d'essais

En ce qui concerne les autorisations d'essais cliniques, il est important de noter que la France est l'un des seuls pays européens (avec l'Autriche) à s'être dotée d'une législation spécifique dans le domaine de la thérapie génique. Sept commissions différentes doivent être consultées avant d'obtenir l'autorisation de réaliser un essai clinique. Cette procédure qui paraît *a priori* relativement lourde est en fait assez efficace dans la mesure où les rôles de chacun sont bien définis. La mise en place d'un guichet commun devrait faciliter et accélérer les procédures d'autorisation. En Europe comme en France, la thérapie génique est considérée comme un médicament issu des bio-technologies, et en cela toute demande d'autorisation de mise sur le marché doit passer par la procédure centralisée de l'Agence européenne du médicament. C'est cette institution qui, sur avis du Comité européen des spécialités pharmaceutiques, rend un avis définitif sur les demandes d'autorisation de mise sur le marché. L'autorisation est alors valable sur l'ensemble du territoire de l'Union européenne.

## Protection des inventions

Dernière pierre à l'arsenal réglementaire européen, la directive sur la protection des inventions issues des biotechnologies a définitivement été adoptée le 12 mai 1998 au terme d'un marathon de plus de dix ans. Le corps humain, qui avait fait l'objet de violentes polémiques, n'est pas une denrée commercialisable. Aucun de ses éléments, y compris la séquence partielle d'un gène*, ne peut faire l'objet d'un brevet. Mais, subtilité de langage, produite par un procédé technique, une séquence, même partielle, peut être brevetée, à la grande satisfaction des industriels des biotechnologies.

La France est un des seuls pays à avoir adopté une réglementation spécifique en matière de thérapies issues de la connaissance des gènes. Gages de sécurité pour les uns, contraintes pour les autres, ces textes réglementent la procédure d'essais thérapeutiques et de mise sur le marché.

# Que dit l'éthique ?

Les nouvelles technologies ont toujours suscité une certaine crainte dans l'opinion publique, mais également chez les professionnels. Le génie génétique n'échappe pas à cette règle. Et la possibilité de modifier le patrimoine génétique de l'espèce humaine soulève des questions auxquelles l'éthique se doit d'apporter des éléments de réponse.

## En Europe et dans le monde

En Europe, le Groupe des conseillers pour l'éthique des biotechnologies, présidé par la juriste Noëlle Lenoir, a rendu, sur demande de la Commission européenne, un avis sur la thérapie génique\*. Ce groupe considère que la thérapie génique somatique\*, c'est-à-dire non transmissible à la descendance, ne pose pas de problèmes éthiques particuliers. En revanche, il estime que, eu égard aux questions sans précédent soulevées par la thérapie génique germinale\*, cette technique n'est pas acceptable chez l'homme d'un point de vue éthique. Il insiste également sur le fait que cette question scientifique doit être abordée en suivant une approche didactique et démocratique impliquant une étroite participation des citoyens européens.

À noter également la déclaration sur le génome\* humain de l'Unesco (novembre 1997), qui interdit le clonage humain. Mais ces mesures sont purement incitatives et le droit international aura du mal à s'imposer.

**Une vue à long terme**

Le législateur, conscient de l'évolution probable des connaissances et des techniques, a prévu une révision régulière de ces lois afin de les adapter le mieux possible à l'environnement technologique.

## Les lois bioéthiques françaises

Deux textes sont principalement à l'origine des trois lois dites « bioéthiques » votées en France en juillet 1994 : celui de Noëlle Lenoir, chargée de mission

À la découverte de la cellule | ADN et hérédité | L'utilisation des gènes | Transfert de gènes

du gouvernement Rocard (publié en 1991), et celui du sénateur Franck Sérusclat, (publié en 1992). Ces lois bioéthiques sont censées traduire dans le droit national les applications médicales issues des progrès dans le domaine de la génétique et des biotechnologies. Ces textes traitent de l'assistance médicale à la procréation, de la protection de l'embryon, de la médecine prédictive, mais également de la thérapie génique. La première loi concerne le traitement des données nominatives dans un but de recherche dans le domaine de la santé. Elle renforce la loi de 1978 relative aux fichiers informatisés. La deuxième est relative au respect du corps humain et stipule que « le corps humain, ses éléments et ses produits, ainsi que la connaissance de la structure totale ou partielle d'un gène* humain ne peuvent, en tant que tels, faire l'objet d'un brevet ». C'est le troisième texte que le législateur souhaitait voir réexaminé dans un délai de cinq ans, essentiellement au vu des dernières innovations technologiques. Cette loi est « relative au don et à l'utilisation des éléments et produits du corps humain, à l'assistance médicale à la procréation et au diagnostic prénatal ».

## L'avis des médecins

De leur côté, les médecins, et en particulier la Commission chargée de donner un avis sur les demandes d'assistance médicale à la procréation et de diagnostic prénatal, estiment que « *la recherche fondamentale sur l'embryon, non suivie d'implantation, peut présenter un grand intérêt, par exemple pour la culture de cellules* embryonnaires pluripotentes ». Ce sont en effet ces cellules qui, prélevées à un stade très précoce du développement, pourraient être utilisées pour le traitement de maladies musculaires, nerveuses ou neurodégénératives. Cette position a les faveurs du Comité consultatif national d'éthique, comme cela a été indiqué lors des Journées nationales d'éthique qui se sont déroulées en janvier 1998.

La France dispose aujourd'hui d'un ensemble législatif très complet qui a défini un cadre au développement du progrès médical.

# Glossaire

Acide aminé : unité élémentaire constituant les protéines\*. Les acides aminés sont au nombre de 20. Leur enchaînement organisé résulte du décryptage du message génétique contenu dans l'ADN\*.

Acide nucléique : substance organique présente chez tous les êtres vivants formée par l'assemblage organisé linéaire d'une combinaison de quatre molécules chimiques : les bases. Il existe deux types d'acides nucléiques : l'ADN\*, dans l'immense majorité des cas support du patrimoine génétique ; et l'ARN, participant au décryptage du message contenu dans l'ADN.

ADN : acide désoxyribonucléique. Cette molécule se présente dans la plupart des cas sous la forme d'une longue double hélice composée de l'agencement organisé de bases. L'ADN est le plus souvent le support de l'information génétique.

Cellule : unité de base de tout organisme vivant. La cellule est protégée de l'extérieur par une membrane (la membrane plasmique) qui renferme le cytoplasme\* et le noyau. Ce dernier contient le matériel génétique.

Chromosome : forme compactée de l'ADN\* uniquement visible lors de certaines étapes de la division cellulaire. Dans l'espèce humaine, il existe 23 paires de chromosomes dans chacune des cellules\* (22 paires de chromosomes identiques deux à deux – on parle d'autosomes – et une paire de chromosomes sexuels, XX pour les individus de sexe féminin et XY pour les individus de sexe masculin).

Cytoplasme : compartiment interne de la cellule\* où se déroule l'ensemble des réactions assurant son fonctionnement.

Enzyme : protéine\* favorisant et assurant le bon déroulement d'une réaction chimique donnée.

Gène : zone de l'ADN\* contenant le message génétique. On pense qu'il existe environ 100 000 gènes dans le cas de l'espèce humaine. Le message génétique est lu et décrypté par la machinerie cellulaire, qui le transforme en protéine\*. Chaque gène code pour une protéine différente.

Génome : ensemble des gènes\* et du matériel génétique caractéristiques d'un organisme vivant.

Génothérapies : ensemble des techniques issues de la connaissance des gènes (thérapie génique, pharmacogénomique…).

Mucoviscidose : maladie génétique sévère et relativement fréquente due au déficit d'un gène\* régulant des phénomènes de transport cellulaire. Les conséquences cliniques sont multiples (respiratoires, pancréatiques…).

À la découverte de la cellule | ADN et hérédité | L'utilisation des gènes | Transfert de gènes

Mutation : erreur dans l'organisation des bases de l'ADN\*. L'apparition d'une mutation peut être due à des agents extérieurs (agents mutagènes) ou à un défaut lors de la duplication de l'ADN associé à chaque division cellulaire. Il existe différentes sortes de mutations (mutation ponctuelle sur une seule base, addition ou élimination d'un fragment d'ADN…).

Myopathie : maladie du muscle d'origine génétique caractérisée dans la plupart des cas par une dégéné-rescence musculaire progressive pouvant être accompagnée d'atteintes nerveuses. On dénombre aujourd'hui environ 120 formes de myopathies différentes, à l'issue souvent fatale. Aucun traitement n'existe à ce jour.

Neurone : cellule\* du système nerveux.

Protéine : elle résulte de la lecture et du décryptage des gènes\*. Une protéine est constituée d'un agencement organisé d'acides aminés\* correspondant à la séquence du gène. Chaque protéine assure une fonction spécifique dans la cellule\*.

Système immunitaire : ensemble des mécanismes assurant la défense de l'organisme contre des corps étrangers (virus\*, bactéries…) ou des cellules\* ne fonctionnant pas normalement (cellules cancéreuses…).

Thérapie génique : ensemble de techniques innovantes issues de la connaissance des gènes\* visant à introduire un gène devenu médicament pour corriger ou pallier un dysfonctionnement génétique responsable de pathologies.

Thérapie génique germinale : forme de thérapie génique\* atteignant les cellules\* de la reproduction et modi-fiant donc l'espèce par la descendance. Dans la plupart des pays, pour des raisons éthiques, cette forme de thérapie génique est, dans l'état actuel des connaissances, interdite.

Thérapie génique somatique : forme de thérapie par les gènes\* ne touchant pas les cellules\* de la reproduction et ne pouvant donc pas être transmise à la descendance.

Vecteur : on appelle vecteurs les véhicules moléculaires permettant de transporter le gène-médicament à l'intérieur de la cellule\*. Ils peuvent être dérivés de virus\* (vecteurs viraux) ou non (vecteurs inertes, ou non viraux).

Virus : plus petit agent infectieux connu. Le virus est un parasite absolu, c'est-à-dire qu'il ne peut se multiplier qu'en détournant à son profit la machinerie de la cellule\* qu'il infecte. Les virus sont composés d'une enveloppe constituée de protéines\* qui renferme leur matériel génétique (ADN\* ou ARN).

# Bibliographie

**Ouvrages**

BARATAUD (Bernard), *L'Effet Téléthon*,
coll. « Les Essentiels Milan »,
Milan, 1999.

COLIN (Isabelle) et Centre
de vulgarisation de la connaissance,
*Le Génie génétique*,
coll. « Les Essentiels Milan »,
Milan, 1999.

COLLECTIF, *Éthique et thérapeutique :
témoignages européens*,
Presses universitaires de Strasbourg,
1998.

COLLECTIF, *La Brevetabilité
du génome*, Tec et Doc, 1994.

COLLECTIF, *La Thérapie génique*,
coll. « Rapport de l'Académie
des sciences », Tec et Doc, 1995.

CONSEIL D'ÉTAT, *Sciences de la vie,
de l'éthique au droit*, coll. « Notes
et études documentaires »,
La Documentation française, 1988.

LENOIR (Noëlle), *Aux frontières
de la vie*. Volume 1 : *Une éthique
biomédicale à la française*,
coll. « Rapports officiels »,
La Documentation française, 1991.

NOSSAL (Gustav J.V.),
*Génie génétique : réalités et promesses*,
Masson, 1988.

SERUSCLAT (Franck), *Les Sciences
de la vie et les droits de l'homme :
bouleversements sans contrôle
ou législation à la française ?
Question clefs et réponses
contradictoires*,
coll. « Office parlementaire
d'évaluation des choix scientifiques
et technologiques »,
Economica, 1992.

SUREAU (Claude), *Alice au pays
des clones*, J'ai lu, n° 5627, 2000.

TOURTE (Yves), *Génie génétique
et biotechnologies : concepts
et méthodes*, coll. « Sciences sup »,
Dunod, 1998.

**Revues**

Dossier « Thérapie génique »,
*La Recherche*, n° 315 ,
décembre 1998.

*Carnets de route, opération Téléthon
1999* ( publié par l'AFM, BP 59,
1, rue de l'Internationale,
91002 Évry Cedex).

À la découverte
de la cellule

ADN
et hérédité

L'utilisation
des gènes

Transfert
de gènes

# Index  *le numéro de renvoi correspond à la double page.*

**Responsable éditorial**
Bernard Garaude
**Directeur de collection – Édition**
Dominique Auzel
**Secrétariat d'édition**
Cécile Clerc
**Correction – Révision**
Élisée Georgev
**Iconographie**
Sandrine Batlle
**Conception graphique**
Bruno Douin
**Maquette Infographies**

14471

rson :

é
pe
r

e

n,

,

l

é

Impr. P 61060